JN076340

現状認識の方法

感染症時代を
生き抜く
科学的思考

日沖健
HIOKI Takeshi

千倉書房

はじめに

新型コロナウイルスと現状認識

新型コロナウイルスが国民の生命と暮らしを、社会や経済を脅かしている。

2020年初めから同年6月現在まで、国・自治体、医療関係者、さらに国民や企業が必死の対応を続けている。今後も当面、厳しいコロナとの戦いが続くことだろう。

ここでカギになるのが現状認識。

国や自治体は、感染状況や経済・社会・暮らしへの影響を現状認識しなければ、有効な対策を打てない。

国民には暮らしや働き方を変えることを迫られているが、現在の暮らしや働き方、コロナの影響を現状認識しなければ、何をどう変えれば良いのかわからない。

ところが、感染症やその医療処置といった専門的なことだけでなく、基本的な現状認識がなかなかできていないようだ。

✓感染はどこまで広がっているのか？　終息に向かっているのか、危機的な状況なのか？
✓日本の自粛頼みの緩やかな感染対策はどこまで有効なのか？
✓日本人の死者が少ないのはなぜか？
✓経済活動にどこまで影響が広がっているのか？　雇用や賃金はどうなるのか？
✓私たちの暮らしにはどういうリスクが迫っているのか？
✓危機に直面し、私たちは幸福なのか、不幸なのか？

医療関係者だけでなく、政治家も、われわれ国民も、必死でコロナと戦っている。しかし、基本的な現状認識ができておらず、手探りの対応に終始しているのではないだろうか。

現状認識がすべての出発点

現状認識は、新型コロナウイルスに限らず、物ごとを考えるうえでの出発点である。

私は２００３年から経営コンサルタントとして活動している。経営コンサルタントの役割は、クライアント（顧客）の経営の問題を解決し、クライアントを発展に導くこと。問題を解決するためには、経営の現状、とくに問題とその原因を正確に認識をすることから始める。

経営の現状を分析・整理する代表的な技法としてＳＷＯＴ分析がある。ＳＷＯＴはStrength（強み）、Weakness（弱み）、Opportunity（機会）、Threat（脅威）の略で、企業の現状を内部・外部、ポジティブ・ネガティブという区分けで包括的に認識するフレームワークである。

クライアントを現状分析し、それをＳＷＯＴにまとめて、強みを生かす、弱みを克服する、機会を捉える、脅威に対処する、という打ち手を講じる。

たったそれだけのことなのだが、実践できる企業も、できない企業もある。

ＳＷＯＴでしっかり現状認識し、それに基づいて手を打っている企業は、大成功しないまでも、大きくズッコケることはない。ところが、現状認識をせず経営者の勘・経験・度胸（ＫＫＤと言われる）に頼った成り行き経営をしている企業は、運が良ければ大成功するが、ちょっと困難な状況に直面すると、あっさり行き詰まってしまう。

日本国内の全法人２７０万６６２７社のうち、赤字法人は１６８万７０９９社と、62・６％に上る（国税庁「会社標本調査（平成29年度分）」）。かなりたくさんの企業が、現状認識をせずＫＫＤで経営していると推測できる。

企業だけではない。家計でも、資産・収入の状態を認識しないと、的確な人生設計をすることはできない。個人でも、健康状態がわからないと、健康な生活を送ることは難しい。しかし、破産する家計、健康を害する人が後を絶たないところをみると、現状認識が疎かになっているのだろう。

当たり前のことであり、すべての出発点なのに、意外とうまく行っていないのが現状認識なのだ。

理論・技法の中身よりも使い方

なぜ、現状認識が難しいのだろうか。

現状認識に必要な情報を入手できないからか。そうではないだろう。ネットで検索すれば、世界中の膨大な情報を瞬時に入手することができる。情報不足どころか、情報の洪水だ。

にもかかわらず現状認識が難しいのは、情報の入手よりも、その情報を解釈し、分析するという部分が難しいからだろう。

ある現象を解釈・分析するには、さまざまな理論・技法を活用する。ただ、ここで問題になるのは、理論・技法の中身よりも、その使い方だ。

たとえば、宇宙の実態を正確に現状認識するには、アインシュタインの相対性理論など高度な物理学を理解する必要がある。しかし、国民が生きて行くうえで問題になる社会現象について言うと、そんなに高度な理論・技法を必要としない。すでに存在し、広く世間に知られている初歩的・基本的な理論・技法を使えば十分だ。

もちろん、社会現象を扱う社会科学にも、相対性理論ばりの難解な理論・技法は存在する。たとえば、株価の動きは、幾何ブラウン運動を適用したランダムウォーク理論で説明できるのだが、そうした高度な理論をよく知る投資家と知らない投資家で、運用成績には有意な差がないことが実証されている。

現状認識、とくに社会現象の認識では、高度な理論、最新の技法を知ることよりも、初歩的・基本的な理論・技法をいかに的確に使いこなすかが課題なのだ。

理論・技法を「作り出す」のは、研究者・専門家である。ところが研究者・専門家は、「使いこなす」ことについては、まったく頼りにならない。複雑な現象を認識するにはさまざまな理論・技法を活用する必要があるが、研究者・専門家の専門分野が高度に細分化されていて、たいてい自分の専門以外のことについては、門外漢だ。そもそも研究者・専門家は、この世にない高度な理論・技法を作り出すことに関心を向けており、初歩的・基本的なことにはほぼ無関心だ。

研究者・専門家が頼りにならないなら、政治家やわれわれ国民は、初歩的・基本的な理論・技法の使い方を自分なりに身につけて、現状認識を実践するしかない。

本書のねらいと概要

本書は、社会現象を正しく現状認識する方法を解説する。

複雑な現状を認識するとき、さまざまな学問分野の理論・技法を用いることから、よく総合科学（Synthetic Science）という言葉が使われる。本書では、科学哲学・統計学・論理学・ファイナンス・管理会計・行動経済学・心理学といった分野の理論・技法を使って、いかに現状認識を進めるべきかを検討する。

気軽に読んでもらえるよう、現在のわれわれにとって最大の関心事である新型コロナウイルスの事例に使って、現状認識の進め方をわかりやすく解説したい。

色々な学問分野の理論・技法が登場するが、中身よりも使い方や考え方に重点を置いているので、各分野の専門家からすると、「えっ、こんな簡単なことも知らないの？」という基本レベルのものばかりである（と言う専門家も、他分野のことはあまり知らないのだが）。予備知識はまったく不要、安心してお読みいただきたい。

各章の内容を簡単に紹介しよう。

第1章では、現状認識の基本的な考え方を紹介する。現状認識では、認識の正しさ、客観性、科学的であることがよく要求される。正しさ、客観性・科学的とは何か、といった点を検討しよう。

第2章は、比較分析がテーマである。ただ現状を見るだけでなく、評価指標を設定し、何かと比較することでより良い現状認識が実現する。評価指標の設定と比較分析の方法を考える。

第3章では、因果関係の認識について検討する。問題を解決するには問題と原因、解決策とその効果、という因果関係を認識する必要がある。事象間の関係や因果関係の成立条件といった点について考える。

第4章では、リスクの認識について考える。危機的な状況ではリスクが問題になるが、そもそもリスクとは何なのだろうか。リスクの種類と種類ごとの対応方法を検討しよう。

第5章は、認知のバイアス（偏り）がテーマである。冷静に現状認識をするのは難しく、恐怖・貪欲・思い込み・楽観といった心理によってバイアスが生じてしまう。代表的な認知バイアスを紹介し、その対応を検討する。

第6章は、感情の認識について検討する。幸福感やモチベーションという感情をどう認識するかが、近年注目を集めている。誰がどのように感情を認識し、どう対応すれば良いのかを考える。

第7章では、本書のまとめとして、行政・研究者・ビジネスパーソンが知識・情報を総合化することの意義と課題を検討する。

本書によって、読者の皆さんが的確な現状認識をできるようになり、仕事や暮らしがより良くなることを願っている。

現状認識の方法
——感染症時代を生き抜く科学的思考——

目次

目次

第2章　感染拡大はいつピークアウトした？
——「三比」による認識——

第5章 自粛の努力を無駄にするな？——バイアスのない認識——

第1章 「切り取り」を避けるのは困難
——客観的・科学的な認識——

現状認識では、客観的・科学的であることがよく強調されるが、正しさ・客観性・科学的とはどういうことだろうか。「商店街の三密」や「緊急事態宣言の延長」などを例に、正しさ・客観性・科学の意味、前提条件と制約条件の違いといった現状認識の基本を検討する。

商店街の三密

新型コロナウイルス（以下「コロナ」）では、国・自治体から、メディアから、SNSからさまざまな情報が交錯している。

そこで問題になるのが、正しい情報。「ガセ情報にはウンザリ、正しい情報が欲しい」とよく言われるが、そもそも正しい情報、「正しさ」とは何だろうか。

アメリカのドナルド・トランプ大統領は2020年3月23日の定例記者会見で、「消毒液はコロナを瞬く間に無力化する」と語った。消毒剤のコロナへの有効性は医学的に確かめられておらず、逆に生命の危険が及ぶ可能性がある。トランプ大統領の勘違いなのか、何かの意図を持った嘘なのか。いずれにせよ、これは間違った（正しくない）情報だ。

ちなみに、総務省は日本の子供たちに「正しい情報を得るためには、必ず信らいできる情報源を調べましょう」（情報通信白書 for Kids）とアドバイスしている。世界中で最も信頼されるべき立場のアメリカ大統領が率先して間違った情報を流しているのは、残念なことだ。

こうした明らかに間違った情報は、すぐに見分けがつく。しかし、正しいのか間違っているのかわからない、ということがよくある。4月に話題になった商店街の三密写真はどうだろうか（https://news.yahoo.co.jp/articles/dd3846e676ac1861408d932a0d81f468e1db8bb2）。

4月7日に緊急事態宣言が出され、不要不急の外出の自粛が国民に求められるなか、NHKは4月12日に、品川区の戸越銀座商店街の賑わいを報道した。

これを皮切りに、各報道機関が都内の商店街の三密（密閉・密集・密接）状態を写真や映像とともに伝えた。4月14日には毎日新聞ウェブ版が戸越銀座商店街を、19日には日刊スポーツがJR吉祥寺駅前サンロード商店街を、共同通信が武蔵小山商店街パルムを写真入りで取り上げた。

一連の報道によって、外出自粛の効果で新宿・渋谷といった都心の繁華街が閑散としている一方、商店街が買い物客や家族連れでごった返しているとして、商店街の三密が問題になった。

ただ報道の直後から、報道で紹介された写真や映像に対する疑義が出た。地元住民による報道写真や映像の検証が行われ、「写真のウソ」や「切り取り」が明らかになった。

たとえば、全長300メートルある吉祥寺サンロード商店街。入り口から超望遠レンズを使って撮影すると、圧縮効果で近くのものと遠くのものの距離が縮まり、あたかも一カ所に人だかりができているように見える。報道機関の撮影技術によって三密が演出された形だ。

これと時期を同じくして、4月中旬からネットでは、商店街などに不要不急の外出をする人を「非国民」と非難する一派と他人に過剰な自粛を強要する人を「自粛警察」と呼んで非難する一派が現れ、国民を分断する社会問題に発展した。

(各紙報道やSNS投稿から構成)


写真そのものは加工されたわけではないので、嘘ではない。しかし、あたかも三密が発生しているかのように、見る者を欺いているように思える。間違ってはいないが、正しいとも言えず、そもそも「正しさ」とは何なのか考えさせられる。

科学的命題と価値的命題

「正しさ」とは何だろうか。

論理学では、判断内容を言葉や式で表現したものを**命題**と言う。

「２０１１年に東北地方で大地震が発生した」、「円周率は３・14である」のように、人の価値観に依存しないで真偽を判断できる命題のことを**科学的命題**と呼ぶ。

「日本は平和で暮らしやすい」とか「ラーメンはカレーライスよりも美味しい」のように、真偽の判断が価値観に依存する命題のことを**価値的命題**と呼ぶ。

では、商店街の写真はどちらに該当するのだろうか。

まず、写真そのものは命題ではないので、正しい、間違っているという真偽の判断の対象にならない。真偽の判断の対象になるのは、写真を見た人が発した言葉だ。

たとえば、商店街の写真を使って報道番組のアナウンサーが「ご覧のとおり、吉祥寺サンロード商店街では三密が発生しています」と言ったら、このコメント（命題）は正しいか。

答えは、三密がどう定義されているかで変わってくる。

仮に三密が「人が集って不快に感じる状態」と定義されているなら、快・不快は価値観に依存するので、このコメントは価値的命題である。価値的命題の真偽は判断できないので、正しいとも間違っているとも言えない。私の知る限り、そういう定義は存在しない。

三密、「三つの密」は、密閉・密集・密接のことで3月14日から総理大臣官邸公式Twitterで使い始めたもので、数値化して厳密に定義されているわけではない。ただ、WHOが推奨するフィジカル・ディスタンシング（ソーシャル・ディスタンシング改め）では、2メートルという距離が示されている。三密が概ねこうした考えに沿って定義されているなら、コメントは科学的命題と言える。

300メートルある吉祥寺サンロード商店街に数十人が歩いている程度なら、平均的には2メートル以上の間隔が十分に確保できており、三密には程遠い。したがって、このコメントは間違っている。

報道機関はいずれも、都心では外出自粛が進んでいるが、住宅地では外出自粛が不徹底で、とりわけ商店街で三密が発生している、という報道をしている。写真を見てニュースを報道したというより、国民に警告を発するために、警告に合致した写真を撮ったというのが実態であろう。

客観性とは何か

ところで、社会現象の現状認識とそれに基づいて社会政策を検討するとき、価値的命題の方がよく問題になる。

社会政策は、国民を幸福にする、安全・安心な住環境をつくる、失業の恐怖を和らげる、といったことを目的に立案される。幸福・安心・恐怖は、いずれも価値観に大きく関わるので、価値的命題を無視することはできない。

先ほど、価値的命題の真偽は判断できないと述べたが、**客観性**が重要だとよく強調される。

「客観的な現状認識に基づいて政策を決めるべきだ」
「あの政治家の主張は主観的過ぎる。もっと客観性が欲しい」

ところで、客観性とはどういうことだろうか。

マックス・ヴェーバーはその名も『社会科学と社会政策にかかわる認識の「客観性」』

という書籍（「客観性論文」と呼ばれる、私がこれまで読んだなかで最も難解な書籍。巻末の「参考文献」に掲載するが、一読をお勧めしない）で、客観性について次のように**価値自由**という考え方を提示している。

数値化して認識できる自然現象と違って、社会現象を認識する際には、どうしても個人が持っている価値前提が入り込んでしまう。ここで、個人の価値前提を排除するのではなく、自分自身の価値前提や政治的な立場、そして認識の限界を自覚し明示することが、社会現象を扱ううえでの客観的な態度である…。

緊急事態宣言を延長するべきか

ヴェーバーが考える客観性の意味について、コロナの事例で考えてみよう。

4月下旬以降、国民的な議論になったのが、緊急事態宣言の延長。4月7日の緊急事態宣言では、コロナ感染を阻止するという点で国民の合意が得られた。しかし、一カ月後の期限を迎えて、延長するか否かについては大きく意見が分かれた。

自粛生活が長引き、日常生活、仕事・学業など環境が大きく変わったのだが、その影響が人によって大きく異なることから、さまざまな意見があった。
以下、Yahoo！や5ちゃんねるなどネット掲示板から拾ったコメントである。
✓個人事業主・零細企業「反対。営業自粛が始まった3月以降、一日の売上は昨年の同時期と比べて8割減。これ以上休業を続けたら、来月にも倒産してしまう」
✓学生「反対。毎日家のなかにいるなんて、いい加減ウンザリ。バイトもできなくて、生活も苦しくなってきた」
✓高齢者「賛成。われわれの年齢だと重篤化のリスクが大きい。もう一カ月我慢して、コロナを徹底的に封じ込めて欲しい」
✓医師「賛成。医師の使命として、少しでも感染リスクを減らす施策に賛同する」
✓会社員「賛成。在宅勤務は最初は少し不安だし、不便だったけど、通勤がなくて楽だし、自宅でマイペースで仕事ができて、なかなか快適」
（Yahoo！や5ちゃんねるなどネット掲示板から構成）

ヴェーバーによると、客観性に欠ける好ましくない態度とは、自分はさまざまな利害関係者の立場を超越し、不偏不党で自説を主張している、と振る舞うことだ。たとえば、個人事業主がマスコミからインタビューされて「私はすべての庶民の気持ちを代弁して延長反対を主張します」と答える具合だ。

逆に、客観的で好ましい態度とは、自分が拠っている前提・立場やそれによる限界を自覚し、明示したうえで、自説を主張することだ。たとえば、医師が「私は生命を守るという医師の立場から、感染リスク阻止という点に絞って賛成意見とその論拠を以下説明します」と主張する具合だ。

マスメディアと政治家の客観的姿勢

ここで厄介なのが、マスメディアと政治家である。

テレビ・新聞などマスメディアには、客観的な報道が要求されている。放送法の第一条には「不偏不党」が規定されており、NHKはその意味について「具体的には、政治上の諸問題は公正に取り扱うこと、また、意見が対立している公共の問題については、できるだけ多くの角度から論点を明らかにし、公平に取り扱うといったことです」（NHKホームページ）としている。

ただ、コロナはマスメディアにプラスに働く面がある。外出自粛で在宅時間が長くなると、テレビの視聴率が上がる。また、ニュース番組では、コロナの危機を煽るほどやはり視聴率が上がる。また、コロナだけでなく、各メディアが持っている政治的な立場・主義信条によって報道内容が大きく変わるというのは、よく指摘されるところだ。

政治家は、国民がさまざまな立場で異なる利害を持っていることを理解し、総合的に政策を判断しなければならない。ところが、政治家も一人の人間として自分なりの立場・利害があるので、なかなか総合的に判断することができない。

多くの政治家が自粛の延長に賛成していたのは、国民の安全もさることながら、以下のような利害・私心があったかもしれない。

「自粛解除し、もし感染爆発が起こったら、責任を問われてしまう。」

「危機を煽って、自分が〝危機と戦う政治家〟、〝国民を守る政治家〟であることをアピールし、次の選挙を有利に運びたい。」

もちろん、心のなかのことなので、政治家がどういう心理だったかはわからない。問題は、国民が政治家の姿勢をどう見ているか、どう感じ取っているかだ。

政治家が自分の立場や利害を優先していると見た国民が「俺たちと同じ数ある利害関

係者の一つなんだ」、「結局は私利私欲で動いているんだ」と感じたら、その政治家と利害が一致する人を除いて、政治家の意思決定に従おうとしないだろう。政治家には、自分の立場・利害を我慢する厳しい自己規律が要求されるのだ。

日本人の民度の高さのおかげ？

現状認識において、客観性とともによく強調されるのが、科学的なアプローチである。日ごろから「科学的に物ごとを考えよう」、「あの人の分析は科学的ではない」などと言われる。

コロナで科学的なアプローチが強調されたのが、日本ではコロナの死者数が少なかったという事実（30頁以降で改めて検討する）の原因究明である。

2月以降、日本人は結核ワクチンであるBCGを接種していることが影響しているのではないか、というBCG仮説が注目を集めた。遺伝的な要素を指摘する研究者も多かった。アマビエのご利益があるのではといった迷信や眉唾物の珍説を含めると、じつにさまざまな仮説が提示された。

なかでも大きな反響を呼んだのが、麻生太郎財務相の発言である。

> 麻生太郎財務相は、6月4日の参議院財政金融委員会で、日本人の民度の高さがコロナによる死亡者数が少ない原因であるとの認識を示した。
>
> 自民党の中西健治参議院議員が、都市封鎖したフランスなどと比べて日本は緩やかな統制で感染を抑えたとし「自由を守り続けてきたのは価値が高い」と指摘した。
>
> これについて答弁を求められた麻生財務相は、外国から電話で問い合わせがあったとしたうえで「〝おたくとうちの国とは国民の民度のレベルが違うんだ〟って言ってやると、みんな絶句して黙る」と応じた。
>
> この発言を受けてメディアやネットでは、「他国をおとしめており、失言だ」、「根拠もなしにいい加減なことを言うな」といった批判が相次いだ。
>
> 札幌医科大学の井戸川雅史医師（ゲノム医科学）は「国ごとに衛生環境が異なる。日本の死者数が欧米より少ない理由は科学的に明らかになっていない」（東京新聞、6月6日）と説明した。
>
> （東京新聞など各紙報道から構成）

こういう仮説に対しては、「いい加減なことを言うな」という批判が湧き起こるのが通例だ。ただし、「根拠なく大胆な仮説を主張する」ことの是非については、奥深い学問的な論争がある。

大胆な仮説が科学を進歩させる

フランシス・ベーコン（1561〜1626年）は、もともと貴族で、政治家として活躍したが、政治闘争に敗れてイングランドの郊外に移り住んだ。そこで日々、野山を歩き、自然を観察した。そして、観察したたくさんのデータから共通点を探り、自然の法則を見つけ出すという**帰納法**を考案した。

次のコロナの例は、帰納法による科学法則の発見である。

観察1「Aさんはコロナに感染して9日後に発症した」
観察2「Bさんはコロナに感染して14日後に発症した」
観察3「Cさんはコロナに感染して12日後に発症した」
観察4「Dさんはコロナに感染して8日後に発症した」

↓結論（法則）「コロナは感染して二週間以内に発症する」

ベーコンの死後、帰納法はヨーロッパで大ブームになり、科学的な方法とは帰納法を意味するようになった。帰納法によって実証研究が盛んになり、17世紀以降、科学は飛躍的に進歩した。

この長く続いた科学的発見に関する常識に20世紀、疑問を呈したのが、イギリスの哲学者カール・R・ポパーである。ポパーは、重要な科学の法則は事実の観察によって生まれるのではなく、大胆な仮説から生まれると主張した。

たとえば、アイザック・ニュートンはリンゴが落下するのを見て万有引力を発見した。これは帰納法による科学的発見である（リンゴの落下という逸話は後世の作り話だと思うかもしれないが、ニュートンが友人に宛てた書簡の中で書いている）。

一方、同じ物理学でも、アルベルト・アインシュタインの相対性理論は、人間は宇宙空間の歪みを肉眼で見ることはできないので、明らかに帰納法を使っていない。天才アインシュタインの大胆な発想が起点になっている。

帰納法は物ごとを説明するときには有効な方法だが（もう一つの有効な方法が演繹法）、科学的発見の方法としては、必ずしも有効とは限らない。大胆な仮説から画期的な科学の法則が生まれるというポパーの主張は、ｉＰＳ細胞などその他の科学的発見の事例から見ても、かなり説得力がある。

ポパーの考えによると、「根拠なく仮説を主張するな」という批判は、大胆な仮説を抑え込むことになってしまい、的外れである。科学を発達させるには、まだ根拠がない段階で大胆に発想し、主張することが大切なのだ。

科学的とはどういうことか

ただし、大胆な仮説は、相対性理論やｉＰＳ細胞のような画期的な科学的発見をもたらす反面、結果的に大間違いだったという可能性が高い。そこで大切なのは、仮説が正しいかどうか、事実によって確かめられることだ。

ポパーによると、科学的とは、**反証可能性**のある状態のことを言う。事実によってある命題を棄却することを反証と言い、科学的命題は反証可能性を備えている必要がある。

たとえば、次の命題は科学的だろうか。

ある投資家「コロナショックがなければ、日経平均株価は今ごろ３万円になっていたに違いない」

すでにコロナショックが起こっている状況で、起こらなかった場合の状態を事実によって棄却することはできない。この投資家の命題は、反証可能性がないので、科学的ではない。命題そのものは、正しいかもしれないし、間違っているかもしれない。

では、有名なバカボンのパパの次の命題はどうか。

バカボンのパパ「西から昇ったお日様が東へ沈む」

明日の朝になればお日様が東から昇り、間違いを確かめることができる。バカボンのパパの命題は反証可能性があるので、科学的だ。科学的だが、もちろん正しくない。

よく「科学的」と「正しい」を混同することがあるが、科学的とはあくまでも反証可能性があるかどうかだ。ポパーによると、すべての科学的な法則は仮説であり、科学的に正しい法則とは、「反証可能性があるが、まだ反証されていない仮説」なのである。

先ほどの「コロナは感染して二週間以内に発症する」という命題は、現時点では科学的に正しい法則である。二週間以内に発症する感染者がさらに確認されたら、仮説が検証され、法則の確からしさが増す。

では、仮に感染して一カ月後に発症する感染者が確認されたら、どうだろうか。その数が少なければ例外と考えるが、ある程度の数が確認されたら、命題が反証され、もはや正しくないということになる。

麻生財務相の発言に話を戻すと、「日本人は民度が高いから感染死が少ない」というのは、反証可能性があり科学的だ。正しいかどうかは、本書執筆時点で不明である。

この発言は、国民の最大の関心事に関する大胆な仮説である。コロナ対策の進展に貢献する可能性があり、科学哲学的には適切なものだ。願わくば、麻生財務相のような影響力のある政治家なら、他国をおとしめないよう表現に注意するとともに、言いっぱなしではなく「この仮説が正しいかどうか調査するように」と厚生労働省などに指示を出して欲しかったところである。

前提条件と制約条件

客観性・科学的という考え方と関連して、この章の最後に前提条件と制約条件という考え方について確認しよう。

あることを検討（分析・意思決定）するとき、まったくのフリーハンドということは少ない。前提条件や制約条件を考慮して検討するのが普通だ。

前提条件と制約条件は混同しやすいが、大きな違いがある。

・**前提条件**：正しいものと仮定して検討を進める条件
・**制約条件**：検討において満たすべき条件

コロナの事例で具体的に考えてみよう。

厚生労働省クラスター対策班の北海道大学・西浦博教授は4月15日、人と人との接触を減らすなどの対策をまったく取らない場合、国内で約85万人が重篤化し、うち約42万人が死亡する恐れがあるという試算を公表した。

西浦教授は「試算は新型コロナウイルスに対して丸腰だった場合の数字。人の接触を大幅に制限すれば流行を止めることができる」とした。接触を8割減らせば約一カ月で流行を抑え込めるとの見方を改めて示し、現状は制限が不十分で「大変危険だ」と強調した。

試算は、対策をまったく取らなかった場合、住民の多くが感染して集団免疫が成立するまで流行が急拡大すると想定した。海外の例をもとに、実効再生産数（一人の感染者が他人にうつす人数）を2・5人と仮定している。

これを受けて政府は4月16日、首都圏を中心に4月7日に出した緊急事態宣言の対象を全国に広げた。また専門家会議は、接触8割減を実現するために「人との接触を8割減らす、10のポイント」を示した。

海外では、ロックダウン（都市封鎖）、市民の行動制限など強硬な措置を取る国が多いが、日本では法律上、私権を制限することには限界がある。そのため、3月に始まったイベント開催や飲食店などの営業への自粛要請と同様、接触8割減でも強制力を伴わない国民の自粛に頼る形になる。

（各紙報道から構成）

この説明のなかに、（少なくとも）前提条件が二つ、制約条件が一つある。

前提条件は西浦博教授の試算のなかの「対策をまったく取らなかった場合」と「実効再生産数２・５人」、制約条件は、最後の段落の「日本では法律上、私権を制限することには限界がある」である。

前提条件を疑う、制約条件に従う

前提条件は、検討作業において正しいものと仮定するだが、実際に正しいかどうかはわからない。検討する側はもちろん正しい前提条件を使う必要があるが、検討結果を受け取る側も前提条件が正しいかどうか疑う必要がある。

こうした検討結果を見たら、まず、そのなかにどういう前提条件が置かれているのかを確認する。そして、前提条件が正しいのかどうか確かめる。

西浦博教授の試算の「対策をまったく取らなかった場合」という前提条件は、西浦教授が所属する厚生労働省クラスター対策班を中心にまさに対策を進めている状況で、対策を取らないということを想定するのは現実的ではない。

「実効再生産数2・5人」の方も、日本では4月7日に2・36人に達したがそれ以外は3月以降、概ね0・5人から1・8人で推移しており（6月9日現在、0・75人）、かなり過大な数字だ。一つ目の前提条件「対策をまったく取らなかった場合」にはもしや起こり得る数字かもしれないが、一つ目の前提条件が非現実的なので、こちらも非現実的な想定ということになる。

西浦教授の試算は、二つの現実離れした前提条件を置いており、そこから導き出された「死者42万人」という結果は、可能性ほぼゼロの机上の空論と言えよう。

一方、制約条件は検討において満たすべき条件なので、基本的には従う必要がある。

政府がコロナ対策を検討する際、「日本では法律上、私権を制限することには限界がある」ことを受け入れて、法律の制約のなかでベストの方法を探ることになる。

日本のコロナ対策については当初、国内外から「生ぬるい」、「危機感が足りない」という批判が沸き起こった。しかし、この制約条件を考えると、内外からの批判は的外れだった。

ここで「基本的には」としたのは、制約条件は絶対のものではなく、非合理的な制約条件を拒否したり、改めたりするケースもあるということだ。今回も、コロナ対策を強力に推進するためにもっと私権制限に踏み込めるよう法改正しよう、という議論が見られた。

切り取りが現状認識の本質

ところで、西浦博教授の「死亡者42万人」という試算は、震源地とされ、日本の10倍の人口の中国でも死亡者が5千人足らずであったことから、国民に大きな衝撃を与えた。と同時に、〝机上の空論〟とか〝狼少年〟と冷静に受け止める国民も多かった。

この試算を巡って、ネットではさまざまな反応があった。

Aさん「42万人とは驚きだ。日本はもう破滅だ。」
Bさん「何も対策しなければ、という前提で計算した架空の話でしょ。42万人死亡という結論だけ見て狼狽えても仕方ないよ」

ここでBさんが問題にしているのは「数字の独り歩き」、あるいは西浦教授の試算の全体から一部分だけを取り上げる「切り取り」である。

この件だけでなく近年、マスコミが記者会見などで全体像を伝えず、ある一部分だけを伝えて受け手を特定の世論に誘導する「切り取り」が指摘され、マスコミ不信の要因になっている。

第1章で検討してきた客観性・前提条件といった考え方は、つまるところ、「切り取り」の問題だ。商店街の三密写真は、商店街の状況から三密に見える特定のアングルを切り取っている。緊急事態宣言の延長も、さまざまな意見のなかからどれを取り上げるか、という選択で、議論の切り取りと言える。

よく「マスコミは切り取りせず、客観的な情報をありのまま伝えるべきだ」と言われるが、これは困難な、いや不可能な要求だ。

「三密の部分だけ切り取るのではなく、商店街全体の様子を伝えろ」
「夕方の買い物時だけでなく、朝・昼・深夜の様子も伝えろ」
「吉祥寺サンロード商店街だけでなく、地方の商店街のことも伝えろ」
「商店街だけでなく、公園とか他の三密スポットも伝えろ」

テレビは限られたニュースの時間のなかで、新聞は限られた紙面のスペースのなかで、世のなかで起こったすべてのことを伝えることはできない。何らかの情報の切り取りをせざるを得ないのだ。

インターネットなら時間やスペースの制約はないと思うかもしれないが、今度は見る側がマスメディアに代わって膨大な情報から切り取り作業をすることになる。誰が切り取りをするか、という違いだ。

つまり、膨大な情報から意味のある情報を選択するのが現状認識であり、人々が忌み嫌う切り取りこそが、現状認識の本質なのだ。

ついでに言うと、誰でも情報を入手できるインターネット時代のマスメディアの存在価値は、知識や分析力で劣る一般人が切り取りするよりも、より効果的・効率的に切り取りができることにある。

そして、切り取りの作業においてカギになるのは、切り取る人の立場・利害・主義信条だ。マックス・ヴェーバーが主張する価値自由のとおり、現状認識を行うすべての人は自分の立場・利害、前提条件を自覚し、他人に発信するときにはそれらを明示する必要があるのだ。

第1章のポイント

・判断内容を言葉や式で表現したものを命題と言い、価値的命題と科学的命題がある。正しいか間違っているのか評価できるのは科学的命題である。
・価値的命題では、客観性が問題になる。客観的な態度とは、自分自身の価値前提や政治的な立場、そして認識の限界を自覚し明示することである。
・大胆な仮説が科学の発展をもたらすが、大間違いということが多い。反証可能性がある状態のことを科学的と呼ぶ。
・前提条件は正しいものと仮定して検討を進める条件、制約条件は検討において満たすべき条件である。前提条件が正しいのかどうか疑う必要がある。
・現状認識は、ある全体像から自分なりに情報を切り取る作業である。

第2章　感染拡大はいつピークアウトした？

――「三比」による認識――

現状認識では、指標を設定して何か他と比較して良い悪いを判断する。では、どういう場合に何と比較すれば良いだろうか。「感染症対策の日本モデル」、「新規感染者数のトレンド」を例に、比較分析の技法について検討する。

評価指標を設定し、比較する

現状認識には色々な目的があるが、大きな目的は、国家・組織・家計・個人といった対象が良い状態なのか、悪い状態なのかを明らかにすることである。

良い状態なら、それを維持・発展させれば良い。悪い状態なら、原因を究明して対策を打つ。

原因の究明と対策の立案については第3章で検討するとして、その前にこの章では、良い状態・悪い状態をどう認識（評価）するかを考えてみよう。

ある対象を見ているだけでは、良い悪いを評価することはできない。

たとえば、肥満が健康に悪いことは医学的に知られており、肥満かどうかは、多くの人々にとって重大な関心事である。

ここで、ある人が鏡に映った自分の姿を見るだけでは、肥満かどうか、どの程度の肥満なのか、正確に判断することはできない。

一般にＢＭＩを測定して肥満かどうかを評価する。ＢＭＩ（Body Mass Index：ボディマス指数）は、「体重（kg）÷［身長（ｍ）×身長（ｍ）］」で計算する。

そして、計測した結果を別の対象と比較する。一般に25以上なら肥満と言われているので、そういった標準数値と比べたり、自分自身の過去の数値と「昨年まで22だったのに、24まで上がって来た。そろそろまずいかな」と比べたりする。

このように、現状認識では、評価指標を設定し、それを何かと比較する、という作業を行う。

日本モデルの勝利か

コロナは世界的に広がった現象で、各国が対策に取り組んできた。コロナが未知のウイルスで対策方法が確立されていないこと、各国で医療・経済などの状態が違うことから、各国の対策はまちまちであった。

コロナの現状認識というとき、国・自治体が推進するコロナ対策が上手くいき、日本が良い状態になっているかどうか、が最大の関心事であろう。

日本のコロナ対策に対する評価は、国内で最初に感染者が確認された2020年1月14日から半年足らずで、大きく揺れ動いた。


4月7日から48日間続いた緊急事態宣言の解除を発表する5月25日の会見で、安倍晋三首相は次のように語った。

「日本の感染症への対応は、世界において卓越した模範である。まさに日本モデルの力を示したと思います。」

日本モデルとは、1月以降に日本で展開されたコロナ対策を総称している。世界の多く国が、ロックダウン（都市封鎖）や外出者への処罰など強力な措置を取っているのに対し、法的に強力な措置を取れない日本では、営業休止要請、外出自粛要請といった罰則を伴わず、国民の自覚や自主性に任せる緩い対応を取った。

その日本モデルが、5月中旬になって脚光を浴びている。

1月下旬から2月にかけて、政府はダイヤモンド・プリンセス号での集団感染の対応に手間取った。水際対策が徹底されず、医療体制の整備が進まず、大阪・札幌など全国各地でクラスター感染を招いた。そして3月の三連休を境に感染者が急増し、4月7日に緊急事態宣言に追い込まれた。

2月から4月まで、内外のメディアからは「（ダイヤモンド・プリンセス号での）隔離は疫学的悪夢であり、過去に例を見ない失敗」（2月17日、ニューヨークタイムズ）といった痛烈な批判が噴出した。ネット掲示板でも「日本の対応は手ぬるい」、「後手後手で、スピード感に欠ける」といったバッシングが吹き荒れた。

しかし、4月11日に新規感染者数が全国714人でピークに達し、それ以降、感染爆発に至ることなく、感染は収まった。結果的に感染者数や死者数も少なかった。

アメリカ外交誌『フォーリン・ポリシー（FP）電子版』は5月14日「日本の奇妙な成功」という見出しで、日本のコロナ対策を次のように評価した。「コロナウイルスとの闘いで、日本はすべて間違ったことをしてきたように思えた。ウイルス検査を受けたのは人口の0・185％にすぎず、ソーシャルディスタンスの取り方も中途半端だ。国民の大多数も政府の対応に批判的である。しかし、死亡率は世界最低（水準）で、医療崩壊も起こさずに感染者数は減少している。不可解だが、すべてが正しい方向に進んでいるように見えてしまう」。

WHO世界保健機関のテドロス事務局長も「日本は死者数を最小限に抑え、新型コロナウイルスの感染拡大防止に成功した」と絶賛した。

（『フォーリン・ポリシー 電子版』など各紙報道から構成）

ＫＰＩを設定し、評価する

ある対象が良い状態かどうかは、どういう指標を使って評価するかで大きく違ってくる。

会計データを使って企業・自治体といった組織を管理することを管理会計という。管理会計では、組織にとって重要な（Ｋｅｙとなる）指標、ＫＰＩ（Key Performance Indicator：重要業績評価指標）を設定して組織の状態を評価し、改善に繋げる。

企業の場合、たとえば次のように、収益性・成長性・安全性などについてＫＰＩを設定する。

✓収益性＝利益がたくさん出ているかどうか
↓ＲＯＥ（Return On Equity：自己資本利益率）
✓成長性＝売上高や利益が増えているかどうか
↓ＣＡＧＲ（Compound Annual Growth Rate：年平均成長率）
✓安全性＝倒産しにくいかどうか

↓自己資本比率

複雑化・グローバル化した現代の組織を一つのＫＰＩで管理するのは難しい。近年、多面的視点から複数のＫＰＩを設定する動きが広がっている。多面的な業績評価システムのことを**バランスト・スコアカード**（Balanced Scorecard：ＢＳＣ）という。

バランスト・スコアカードで多面的というのは、「財務」、「顧客満足」、「ビジネスプロセス」、「社員の学習・成長」という四つの視点から評価することだ。「財務」のような数値化しやすい視点だけでなく、数値化しにくい他の視点も総合的に評価することが、バランスト・スコアカードの特徴である。

コロナ対策に明確なＫＰＩはなかった

では、コロナ対策では、国・自治体はどのようなＫＰＩを設定しただろうか、設定するべきだっただろうか。

コロナでは１月から半年足らずで、さまざまな指標が取りざたされた。

①感染者の累計
②一日当たり新規感染者数
③死亡者数の累計
④PCR検査の陽性化率
⑤ICUの病床使用率
⑥感染者の重篤化率
⑦感染経路不明率

コロナでは、国・自治体・医療従事者・国民・企業など、さまざまな立場の主体が関係することから、数多くの評価指標が出てくるのは当然だ。バランスト・スコアカードの考え方からも多数の評価指標をウォッチするのは良いことだ。

しかし、国・自治体が明確に意識してKPIを設定していたかどうかは、疑わしい。

5月1日、緊急事態宣言の延長を巡って専門者会議の尾身茂副座長は、「新規感染者数は減少傾向にあるが、スピードは期待したほどではない」と述べ、緊急事態宣言の体制を維持すべきだと説明した。この説明を受けて、国民・マスコミからは「では、どうなったら宣言を解除するのか。明確な数値基準を設定するべきだ」という反発が起こった。

この説明と反発を受けて5月5日、大阪府が独自の解除基準「大阪モデル」を公表した。つづいて5月15日、東京都も「東京アラート」を公表した。

つまり、国内で最初に感染者が見つかった1月から5月上旬に至るまで四カ月以上、すでに感染が下火になるまで、国・自治体はＫＰＩらしきものを明確に設定していなかったわけだ。

未知のウイルスで対応が難しかったという事情はあるものの、ＫＰＩを設定して現状を評価し、ＫＰＩ達成に向かって対策を取る、という基本がほとんどできていなかったのは、今後改めるべき大きな反省材料である。

感染者数はＫＰＩに相応しいか？

では、コロナ対策にはどのようなＫＰＩが適切だろうか。

医療従事者とその他では考え方が大きく異なるが、ここでは、日本のコロナ対策、いわゆる日本モデルがうまく行っているのかどうかを国民や政府が評価するうえで、最も大切なＫＰＩが何であるかを考えてみよう。

34頁に挙げた指標のなかで、マスメディアで繰り返し報じられ、国民の関心を集めたのは、①感染者の累計と②一日当たり新規感染者数であろう。これらはＫＰＩに相応しいだろうか。

まず、①感染者の累計でわかるのは、コロナの規模＝重大さと地域的な広がりだ。毎年発生するインフルエンザやＳＡＲＳなど過去の感染症と比べてどれほどの重大なものなのか、日本と中国やアメリカでは、どちらが感染が広がっているのか、どの地域で感染が広がっているのか、ということがわかる。地震で言えば、地域ごとのマグニチュードをまず知りたいと考えるのと同じで、初期のころには知りたい情報である。

ただし、感染対策の是非を評価するうえでは、①感染者の累計はあまり意味がない。累計の数字は、新規感染者がゼロになるまで延々と増え続ける。しかし、実際には、感染者の大半が無事に回復するので、死亡者を差し引いた「現在、感染している患者数」は、それよりもかなり少ない。医療体制の整備などの政策を考えるうえで、①感染者の累計よりも「現在、感染している患者数」の方がはるかに重要だろう。

マスメディアは、①感染者の累計を中心に報道してきたが（現在も同じ）、こうした問題に気づいたのか、ようやく5月に入って「現在、感染している患者数」も取り上げるようになった。ちなみに、５月31日現在、感染者の累計は16,851人、退院者14,406人・死亡者８９１人を差し引いた「現在、感染している患者数」は1,512人である。

次に、②一日当たり新規感染者数はどうか。感染対策に効果があったら、新規感染者数は減っていく。感染症対策の効果のあるなしが明確にわかるという点で、①感染者の累計よりははるかに優れた指標である。

ただし、①にも言えることだが、感染者数を取り上げること自体が、そもそも問題だ。コロナは感染しても、大半は無症状で回復するので、症状が出てＰＣＲ検査を受診して「感染者」とカウントされるのは、全体のごく一部だ。

医療従事者は発症した感染者に対応するので、医療現場のひっ迫状況の改善を考える上で、②一日当たり新規感染者数には大きな意味がある。しかし、国民や政府にとっては、コロナにかかっても死に至らなければ良いわけで、感染すること自体はさほど重要ではない。

人口当たり死亡者数を比較する

ということで感染者数ではなく、死亡者数を取り上げるべきなのだが、政策の評価という点では、もう一つ注意したいことがある。それは、何と比較するかだ。評価というのは、良いのか、悪いのかを判断することである。「5月31日の全国の新規感染者数は50名でした」というニュースを聞いて、それだけでは良いとも悪いとも判断がつかない。評価するには、何かと比較をしなければならない。

一般に、比較には三つある。**三比**と呼ぶ。

・**趨勢分析**：過去の実績との比較
例「今年の売上高は前年比で15%増加した」
・**ベンチマーキング**（Benchmarking）：他の対象との比較
例「当社の売上高営業利益率は20%で、ライバルのX社より4%低い」
・**予実分析**：予算・計画との比較
例「4月の新規顧客獲得件数は72件で、計画90件の80%にとどまった」

このなかで、コロナ対策を評価するうえで最も有効なのは、ベンチマーキングである。「日本モデルは素晴らしい」というとき、日本以外の国、たとえばアメリカや中国と比較している。「大阪の吉村洋文知事はよく頑張っている」というとき、意識・無意識のうちに他の都道府県の知事、たとえば小池百合子東京都知事と比較している。

ただし、単純に死亡者数の実数を比較してはいけない。国別・都道府県別の比較をするとき、国や都道府県で人口規模が違うので、人口当たりの数字を比較する必要がある。

以上から、日本モデルを評価するには、「人口１００万人当たり死亡者数」をＫＰＩとするのが適当であろう。日本国内では「人口１００万人当たり死亡者数」はあまり目にしないが、じつは世界的には最も重要な指標とされている。

日本モデルというよりアジア・オセアニア・モデル

図表１は、統計サイトWorld Meter（https://www.worldometers.info/coronavirus/）から主要国の５月31日時点の人口１００万人当たりの死亡者数を抜粋したものである。

図表1　主要国の人口100万人当たりの死者数（2020年5月31日現在）

単位：人／百万人

国・地域	人／百万人
全世界	47.6
（アジア）	
日本	7
韓国	5
中国	3
台湾	1
シンガポール	4
サウジアラビア	14
インド	4
（アフリカ）	
南アフリカ	11
エジプト	9
（オセアニア）	
オーストラリア	4
ニュージーランド	4
（北米）	
アメリカ	319
カナダ	188
（中米・南米）	
メキシコ	76
ブラジル	136
アルゼンチン	12
（ヨーロッパ）	
ベルギー	817
イギリス	580
スペイン	566
イタリア	551
フランス	441
サンマリノ	1,238

出典：World Meter。

日本の人口100万人当たり7人という数字は、世界平均47・6人を大きく下回っており、コロナをよく抑え込んでいる。結果から見ると、2〜3月に欧米諸国が日本のコロナ対策を酷評したのは、まったく的外れだったと言えよう。

ただし、それが「日本モデル」と称賛できるかいうと、疑わしい。アメリカの319人、イギリスの580人、スペインの566人など、欧米主要国では軒並み死亡者が数百人に達しており、日本とはまさに桁違いだ。しかし、それ以外の地域ではブラジルの136人が目立つ程度で、日本に限らず事態はさほど深刻ではない（執筆時）。

東アジア諸国の被害は少なく、コロナの震源地とされる中国は3人、2月に危機が叫ばれた韓国は5人と、日本を下回っている。オセアニア諸国もおしなべて少ない。日本は欧米諸国に比べたら優等生だが、東アジアやオセアニアのなかでは、やや劣等生と言える。

東アジア・オセアニアで死者数が少ない原因については、遺伝的な要因が取りざたされているが、現時点では定かではない。いずれにせよ、この数字を見る限り、「日本モデル」というより「アジア・オセアニア・モデル」と呼ぶ方が適切だろう。

トレンドを確かめる

比較には、ベンチマーキングの他に、予実分析と趨勢分析がある。

企業経営では、中期経営計画や年度予算を作って、実行後に予実分析を行うというのは極めて重要な作業である。計画を作って（Plan）、実行し（Do）、評価し（Check）、改善する（Act）というプロセスをPDCAと言い、経営管理の基本と言われる。

コロナ対策に関しては、国・自治体、あるいは専門家会議は綿密な計画を作っていたわけではなさそうだ。専門家会議の尾身茂副座長の「（感染者数減少の）スピードは期待したほどではない」という発言から、内々で計画があったのかもしれないが、ここでは

図表2　為替レート推移①

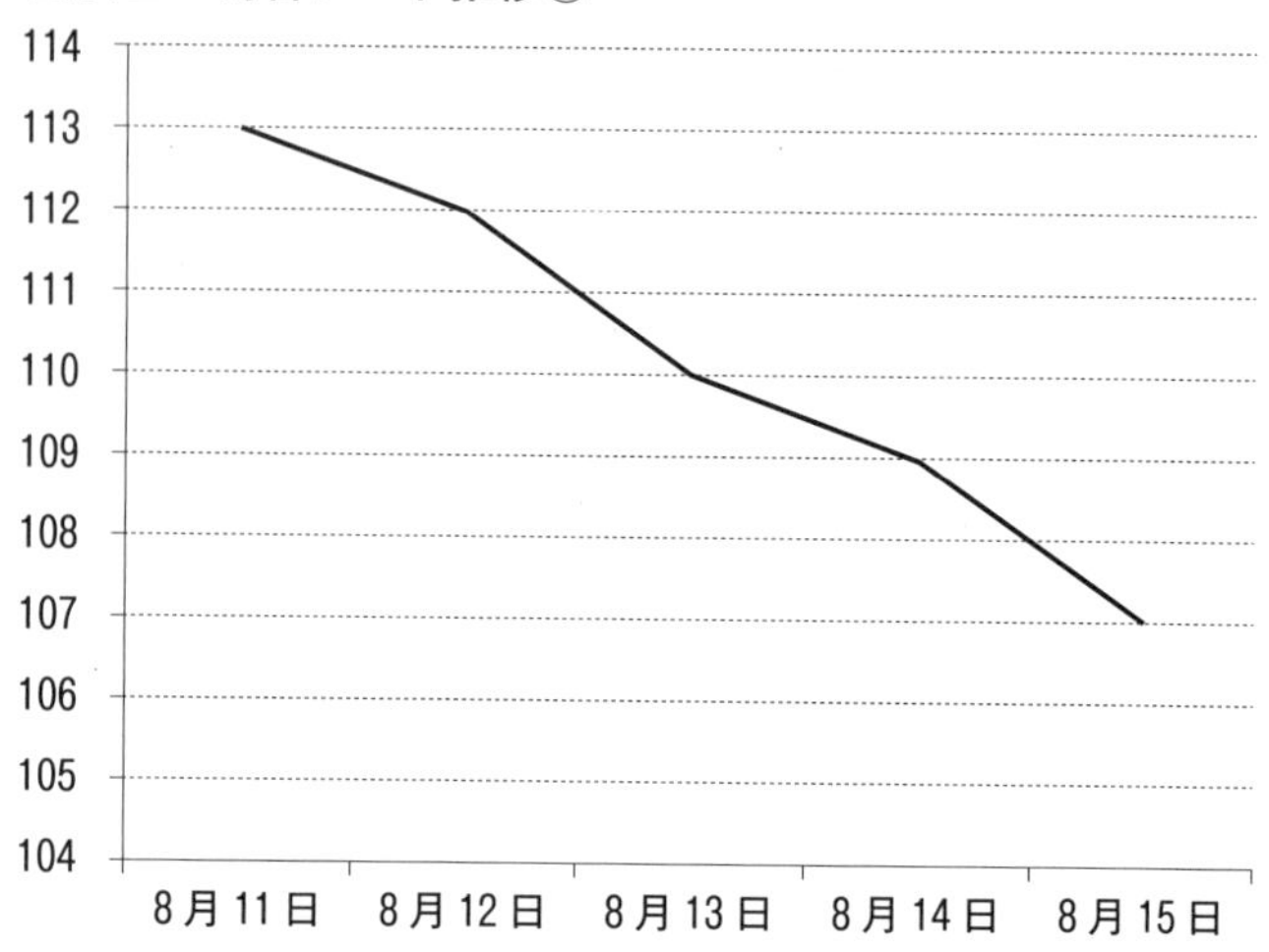

検討を割愛する。

さて三つ目の趨勢分析。趨勢、英語で**トレンド**（Trend）とは、あることが動いていく方向性のことを言う。

企業経営では、売上高が増加トレンドなら受注の増加に対応するために従業員を増やす。減少トレンドなら人件費の負担を減らすために従業員を減らす。トレンドがどちらに向いているかで、対応のあり方はまったく違ってくる。

ただ、トレンドを確認するのは、意外と難しいことだ。

たとえば、円ドルの為替レートが**図表2**のように四日間連続で下落したら（架空の数字）、グラフを見るまでもなく円高（ドル安）トレンドである。

図表３　為替レート推移②

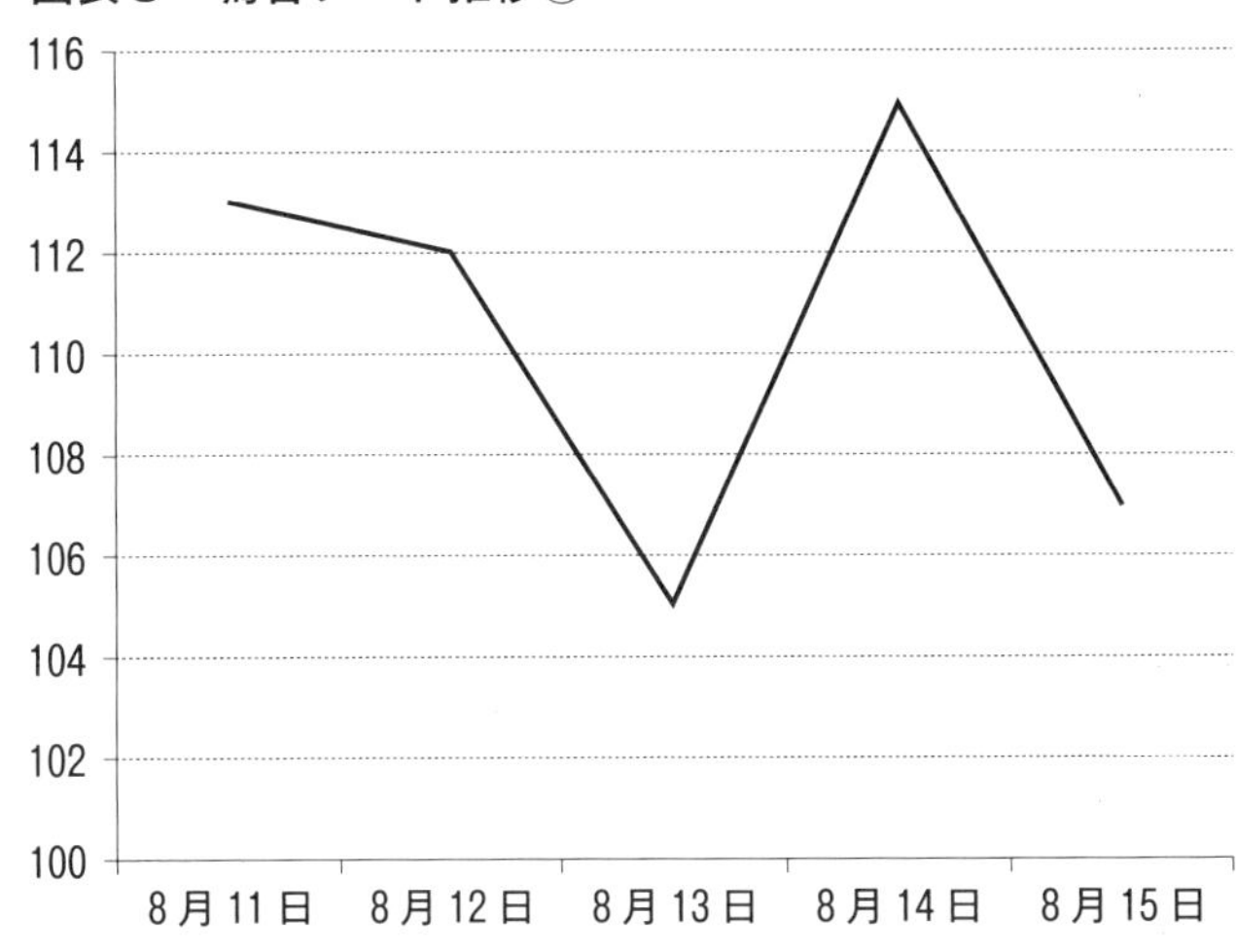

　ところが、**図表３**のような場合、円高（ドル安）トレンドと言えるかどうか判断に迷うだろう。

図表２と同じく、期間初日の8月11日は１１３円、期間最終日の8月15日は１０７円と６円上昇しており、期間全体では円高（ドル安）トレンドである。

　しかし、8月13日に最終日を下回る１０５円まで上昇していること、8月14日に初日を上回る１１５円まで下落していることが気になる（トレンドから外れたデータをノイズと言う）。もちろん円安トレンドではないものの、停滞＝トレンドがない状態と判断できるかもしれない。

新規感染者数のトレンドは？

コロナでは、新規感染者数の増減が大きな問題になった。

もし新規感染者数が増加トレンドを続けているなら、今後訪れるピークを予測し、ピークに合わせて医療体制の整備を進める必要がある。逆に、減少トレンドに転じたなら、ダメージを受けた家庭やビジネスの支援などにリソースを回すことができる。政策を決定するうえで、トレンドを迅速・正確に捉えることが極めて大切だ。

> 2020年2月以降、国内でクラスター感染が相次いで報告され、新規感染者数に注目が集まった。
>
> とくに日本の中心・東京は、3月以降、国内で最多の感染者数を出し、緊急事態宣言のきっかけとなったことから、日々の新規感染者数の報告が関心を呼んだ。4月以降、毎日夕方に発表される東京都の新規感染者数がたびたびトップニュースになり、国民はその数字に一喜一憂した。
>
> 東京都で最初の感染者が報告されたのは1月24日。2月は小康状態を保ったが、3

月の三連休を境に急増し、４月以降、たびたび三ケタの新規感染者が報告されるようになった。そして、４月17日に２０６人を記録した。この２０６人をピークに新規感染者数は減少に転じ、４月26日に82名と13日ぶりに二ケタになった。

マスメディアに登場する医療専門家の大半は、４月の間、「感染拡大は収まったかに見えるが、まだ三ケタを記録する日が多く、減少に転じたかどうかはわからない」といったコメントをしていた。

厚生労働省は５月１日に発症日ベースの新規感染者数を初めて公表した。専門家会議は緊急事態宣言の延長を前に、同日「新規の感染者数が減少傾向に転じていることがうかがわれる。…しかし、３月20日過ぎから生じた発症者数の急増のスピードに比べれば、減少のスピードは緩やかに見える」として、減少トレンド入りを示唆しながらも、明言はしなかった。

その後も５月１日に１６５人、５月２日１５６人という比較的大きな数を記録したこともあって、連休が明けた後もしばらく「減少トレンドに転じた」と明言する医学・医療の専門家は少なかった。

一方、経済学者の池田信夫が４月17日に「感染者数は４月上旬でピークアウトした」と指摘したように、他分野の専門家はかなり早い段階でトレンド転換を認識していた。

政府の専門家会議は５月29日、ここまでの国の対策を評価した。実際にコロナにいつ感染したのか、新規感染者の報告から発症までの約二週間を逆算して時期を推定したところ、感染のピークは4月1日ころで、4月7日の緊急事態宣言の前に流行はピークアウトしていた。そのため会議のメンバーからは「結果的に緊急事態宣言のタイミングは遅かった」という意見が出た。

（各紙報道から構成）

結果的には、すでに4月1日頃をピークに新規感染者数は減少に転じていたにも関わらず、政府や医学・医療専門家のトレンド転換の認識は大きく遅れてしまったことになる。

移動平均を活用する

なぜ、トレンド転換の認識が遅れてしまったのだろうか。

よく指摘されるのは、データの制約や精度の問題だ。

まず、コロナは実際にウイルスに感染してから発症するまで最大二週間のタイムラグがある。5月29日の専門家会議のように、約二週間後に報告された発症者のデータから遡ってトレンドを推計するので、トレンドの転換を認識できるのは、二週間後より先になる。４月１日が感染ピークだったなら、統計上それを確認できるのは４月15日以降になる。

また日本では、検査体制の制約からＰＣＲ検査の受診が制限されたので、感染しているのに受診できず感染者数にカウントされないケースが多数あった。さらに、休業の医療機関が増える週末は検査数が少なく、金曜日や月曜日に検査数が増えるので、週末と平日では大きなばらつきが出る。

先ほどの**図表３**の為替や株式もそうだが、ばらつき＝変動が大きいデータは極端に大きい・小さい値のデータが気になって、トレンドをつかみにくい。

統計学では、変動の大きいデータのトレンドを移動平均で分析する。

移動平均（Moving Average）は、時系列データにおいて、ある一定区間ごとの平均値を区間をずらしながら求めてデータの動きを平滑化する統計手法である。たとえば、七日間移動平均という場合、その日を含む過去七日間のデータの合計を７で割って計算する。

移動平均の値を結んだ線を移動平均線と言う。移動平均線が上を向いていたら増加（上昇）トレンド、下の向いたら減少（下落）トレンドである。移動平均線が上から下、

図表４　東京都の新規感染者数

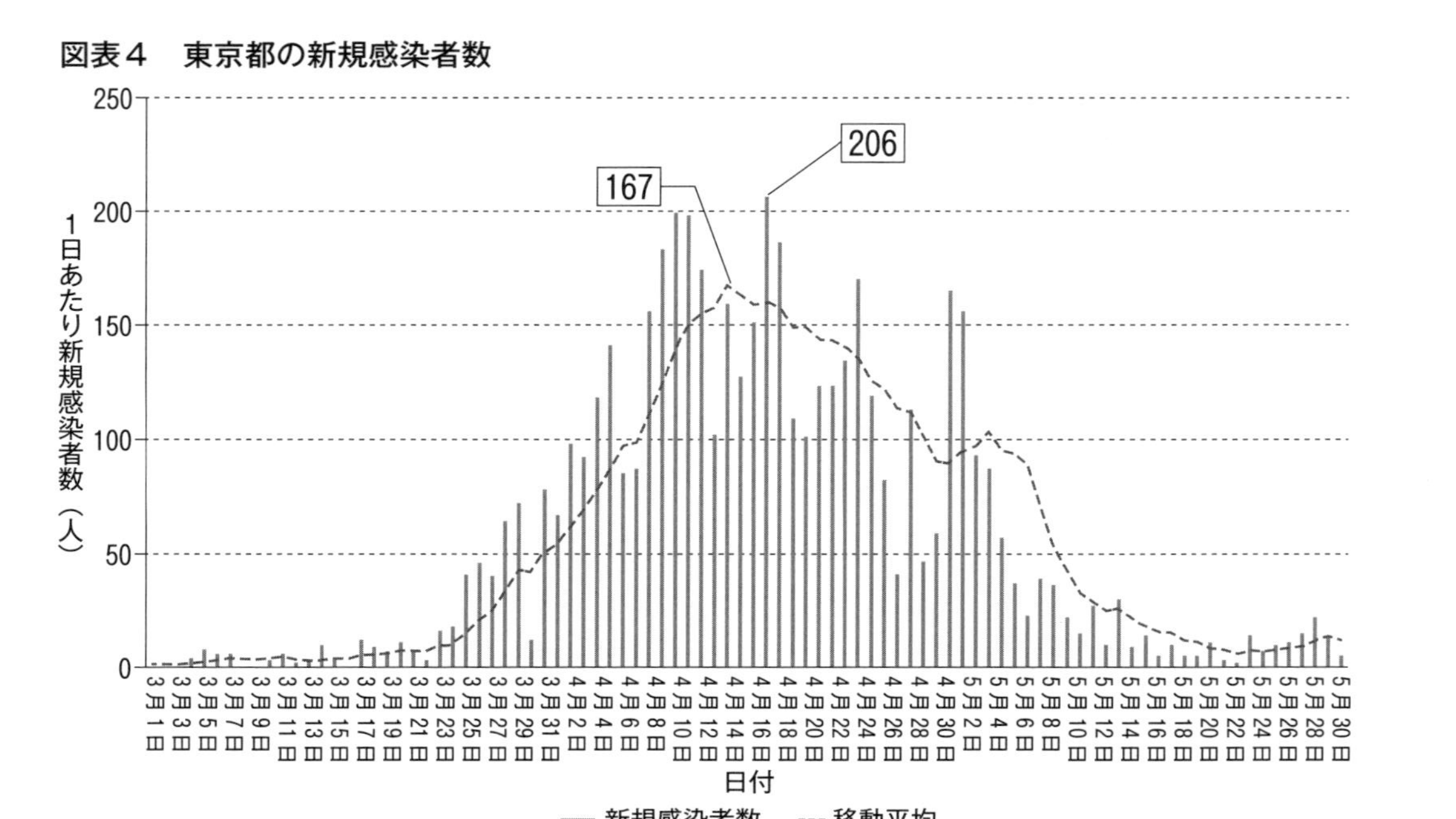

注：ちなみに、４月14日の移動平均167人は、次のように計算している。
４月８日156人＋９日183人＋10日199人＋11日198人＋12日174人＋13日102人＋14日159人＝1,171人。1,171人÷７日＝167.29人/日

下から上に変わるのがトレンドの転換である。

図表４は、東京都の新規感染者数（棒）と七日間移動平均（折れ線）である。移動平均線は、３月23日ころから上向きの角度が急になり、増加トレンドが鮮明になった。移動平均の値は４月14日に１６７人でピークに達し、それ以降、移動平均線は明確に下向き（減少トレンド）になっている。

このことから、トレンドの転換が４月14日に起こったことがわかる。そして、感染から発症まで最大二週間のタイムラグがあることを考慮すると、東京都では３月末から４月１日ころにかけて感染のピークが訪れたと推測することができる。

統計はあくまで脇役

今回、医学・医療の専門家は、トレンド転換の認識を見誤った（正確に認識していたものの、国民に感染対策を促すためにあえて発信を控えたという可能性もあるが）。一方、統計データを分析した経済学者などは、早い段階で的確にトレンドの転換を認識することができた。

しかし、この事実を以て、「統計データが何より重要」、「医学・医療の専門家よりも経済学者の方が頼りになる」ということにはならない。近年、統計データを絶対視する統計学者やデータサイエンティストをよく見受けるが、これは危険な考え方だ。

たとえば「クラスター発生」といった医学的な事象が原因で、「感染者数が増加」という結果が起こる。トレンドをつくり出すのは、当然ながら結果ではなく「クラスター発生」など原因の方である（因果関係については第3章で検討する）。

事後的にトレンドを確かめるには、統計データは有効だ。しかし、トレンドを転換させた実際の事象を確認しないと、本当にトレンドが転換したのかどうか、わからない。また、今後そのトレンドが続くのかどうかを予測することもできない。

たとえば、今回、お茶の間の人気者・志村けんが3月29日にコロナで死去したことで、国民から「コロナは決して他人事ではない。誰にでも被害が及ぶと考えて、しっかり対策に努めたい」という声が相次いだ。こういう事実を確認できれば、原因「志村けんの死去」→「国民の感染への意識が高まる」→「感染拡大が収まる」→結果「感染者数の減少」という因果関係を確認できた。

統計はあくまでトレンドを事後確認するための脇役で、主役は、コロナの場合だと医学的な現象である。もちろん、良い芝居を演出するには、主役と脇役が協力するべきなのは、言うまでもない。医学的な事実の現在進行形の分析と統計学的なデータの事後的な分析の両方が必要だ。

「三比」に取り組んだか

政府や専門家会議は、今回トレンド転換の認識が遅れてしまったという現実を踏まえて、トレンドの認識にどこまでしっかり取り組んでいたのか、今後振り返る必要がある。

厚生労働省は、２０２０年１月16日からほぼ毎日「新型コロナウイルスに関連した患者等の発生について」、１月22日からほぼ毎日「新型コロナウイルス感染症の現在の状況と厚生労働省の対応について」をホームページで公表している。ただ、毎日の感染者数・退院者数・死亡者数とその累計を報告するだけで、移動平均などを使ったトレンドの分析はしていない。トレンドに対する意識は希薄だと見て間違いない。

専門家会議も、やはり感染「状況」というとき、一日ごとの感染者数・死亡者数とその累計が中心で、トレンドの分析を含む包括的な評価は、５月29日まで行われなかった。

トレンド＝趨勢分析だけではない。ベンチマーキングや予実分析はどうだったか。コロナの発生源とされる中国やお隣の韓国で世界に先駆けて感染被害が広がったのは、水際対策という点では日本にとって不都合だった。しかし、感染拡大が始まった後の対策を検討するうえでは、中国・韓国の対策は大いに参考になったはずだ。日本は中国・韓国と十分に情報交換をし、ベンチマーキングし、対策の立案に生かせていただろうか。

予実分析も必要だ。コロナのような危機では「あれこれ考える前に、とりあえず何か手を打とう！」となりがちだ。たしかに、緊急事態の初期段階では、まず応急処置を取ることが何より大切だ。しかし、コロナとの戦いが長期化すると、どこまで感染を抑え込むか、そのためにどういう施策を実施し、国民にどういう行動変容を期待するのか、といった計画・長期構想がないと、長期戦を戦えない。

緊急事態宣言の全国拡大など事態が変わったら後追いで対応するという動きが多かったこと、また給付金やアベノマスクがなかなか国民に届かなかったことなどを見ると、政府内でＰＤＣＡサイクルを回しているのか、疑わしい。

幸い今日まで、日本国内でのコロナの被害は限定的なものにとどまっている。ただ、これは3月終わり以降、国民が危機感を持って三密の回避など自主的に感染対策に努めたことが大きく、政府の対策が効果的だったとは言い難い。政府には、今回の反省を踏まえて趨勢分析・ベンチマーキング・予実分析という三比の体制づくりをすることを期待したい。

補足　堺屋太一の「三比」批判

私の知る限り、「三比」という言葉を最初に使ったのは、評論家で後に経済企画庁長官を務めた堺屋太一である。堺屋は、『組織の盛衰』の中で、「前年比」、「他社比」、「予算比」を評価基準にする経営、または組織管理方式のことを「三比主義」と呼んだ。

そして「戦後半世紀近くに渡って日本企業の数量志向＝拡大主義はまったく変わっていない。そしてそれに向かって従業員全部を駆り立てたのが〝三比主義〟である」、「（横並び競争を煽ることに加えて）〝三比主義〟のより重大な欠陥は量だけでノルマを課すため質の悪化を招くことである」と批判し、「三比主義からの脱却」を提唱している。

しかし、経済企画庁長官に就任した堺屋は、庶民感覚の景気動向をトレンド分析する

「景気ウォッチャー調査」を導入するなど、国家レベルで三比を推進した。堺屋が問題にしたのは、日本に特有な横並び体質と組織として目指す姿や質的な目標を持たないことであって、三比そのものを否定したわけではなさそうだ。

現状認識のための手引き

第2章のポイント

- 現象そのものを評価することはできない。現状認識では、評価指標を設定し、それを何かと比較する。
- 重要な業績評価指標をKPIという。多面的にKPIを設定するバランスト・スコアカードを取り入れる組織が増えている。
- ①趨勢分析、②ベンチマーキング、③予実分析という三つの比較（三比）を行う。
- 趨勢分析では、トレンドの転換を見極めることが大切だ。変動の大きいデータを分析する際には、移動平均を用いる。
- 予実分析を活用してPDCAを回すのが経営管理の基本である。

第3章　アベノマスクのおかげでマスクが値下がり？

——因果関係の認識——

問題を解決するには原因を究明し、解決策を立案するが、そのカギになるのが因果関係の認識だ。「飲食業界の苦境」、「アベノマスクの効果」を例に、事象間の関係や因果関係を認識する方法を検討する。

因果関係と問題解決

現状認識で大切なのが、因果関係の把握である。**因果関係**とは原因と結果という事象間の繋がりのことである。コロナだけでなく、世の中のあらゆる問題を解決するには、因果関係を認識する必要がある。

たとえば、ある百貨店の紳士服売り場で「売上高の減少」という問題が発生したら、売り場責任者は原因を探る。

「顧客の認知度の低下」が原因だとわかったら、つづいて認知度を高めるための方策を考える。

そして、「ネット広告」という解決策を思いついたら、「顧客の認知度の向上」という効果が得られるかどうか確認してから、実行する。
この問題で売り場責任者は、以下の二つの因果関係を認識した。
「顧客の認知度の低下」（原因）—「売上高の減少」（結果）
「ネット広告」（原因）—「顧客の認知度の向上」（結果）
因果関係には、「夏の気温が上がる（原因）とビールがよく売れる（結果）」といったわかりやすいものあれば、少子化の原因のようにわかり難いものもある。
そして、コロナのような複雑で巨大な問題では、さまざまな因果関係が交錯している。

飲食業界の苦境

コロナでは、さまざまな業種が影響を受けたが、なかでも２０２０年3月下旬以降、感染対策として休業要請を受けた飲食店は、過去にない苦境に立たされた。

飲食業界を例にとって、まず因果関係の基本を確認しよう。

新型コロナウイルスはさまざまなビジネスに影響を及ぼした。なかでも、壊滅的な被害を被ったのが、飲食業界だ。

近年、飲食業界は、接待需要の減少、若者の酒離れ、飲酒運転の取締り厳格化といった逆風を受けて、売上高は減少傾向にあった。さらに、２０１９年10月１日から消費税が増税されたことで、客離れが進んだ。

消費税増税の影響が冷めやらぬ２０２０年、コロナが飲食業界を直撃した。２月以降、一部の飲食店でクラスターが発生したことから、客足が鈍った。各地の自治体が飲食店に休業を要請する動きが広がった。

さらに４月７日に発令された緊急事態宣言で、国民には外出自粛要請が出され、外食の機会が激減した。

飲食店は、感染拡大を阻止するために休業要請を受け、営業時間の短縮など対応を余儀なくされた。とくにバーなど酒類の提供をメインとする飲食店では、緊急事態宣言が解除される５月末まで二カ月近く臨時休業をするケースが多かった。

東京都は、休業要請に応じた飲食店に単独店舗の場合50万円、複数店舗の場合１００万円の感染拡大防止協力金を支給し、飲食店の経営を支援した。しかし、家賃や人件費といった固定費の支払いが続くなか、経営悪化に耐えられず、廃業を決断する飲食店が続出した。

ただし、飲食業界のすべてがマイナスの影響を受けたわけではない。外出自粛に伴い「巣ごもり消費」が拡大したのを受け、ウーバーイーツなど宅配サービスが急速に普及した。一部に、宅配サービスを活用して売上高を伸ばす飲食店も現れた。

（各紙報道から構成）


飲食業界において、売上高の減少という問題（結果）は明らかだが、原因については、休業要請だけでなく、複合的な要因が絡んでいるようだ。

独立・相関関係・因果関係

二つの事象間の関係には、「Xが変化すればYが変化する」という相関性がある場合とない場合がある。相関がない場合のことを**独立**という。相関性がある場合のうち、Xが原因でYという結果が起こるという関係のことを因果関係、因果関係ではない相関のことを**相関関係**（あるいは単純相関）という。

飲食業界の状況に当てはめて考えてみよう。

飲食業界では、「A・外出自粛」、「B・飲食店の売上高減少」、「C・消費税率アップ」「D・宅配サービスの普及」といった現象が起こった。これら四つはお互いどういう関係にあるだろうか。

まず、「A・外出自粛」は、宅配サービスによる売上増加という影響はあるものの、まだ部分的な動きであり、業界全体としては「B・飲食店の売上減少」をもたらすだろう。「A・外出自粛」と「B・飲食店の売上高減少」は因果関係である。

「A・外出自粛」と「D・宅配サービスの普及」、「C・消費税率アップ」と「B・飲食店の売上高減少」も因果関係である。

「A・外出自粛」と「C・消費税率アップ」はともに政府の政策だが、時間が離れており、関係があったとは思えないので、独立である。同じく、「C・消費税率アップ」と「D・宅配サービスの普及」も独立である。

「B・飲食店の売上減少」と「D・宅配サービスの普及」はどうか。両方とも「A・外出自粛」という共通した原因によって発生しており、相関性がある。「B・飲食店の売上減少」で困った飲食店が宅配サービスを始めたので「D・宅配サービスの普及」が起きた、あるいは逆に「D・宅配サービスの普及」によって飲食店が客を奪われて

図表5　事象間の関係

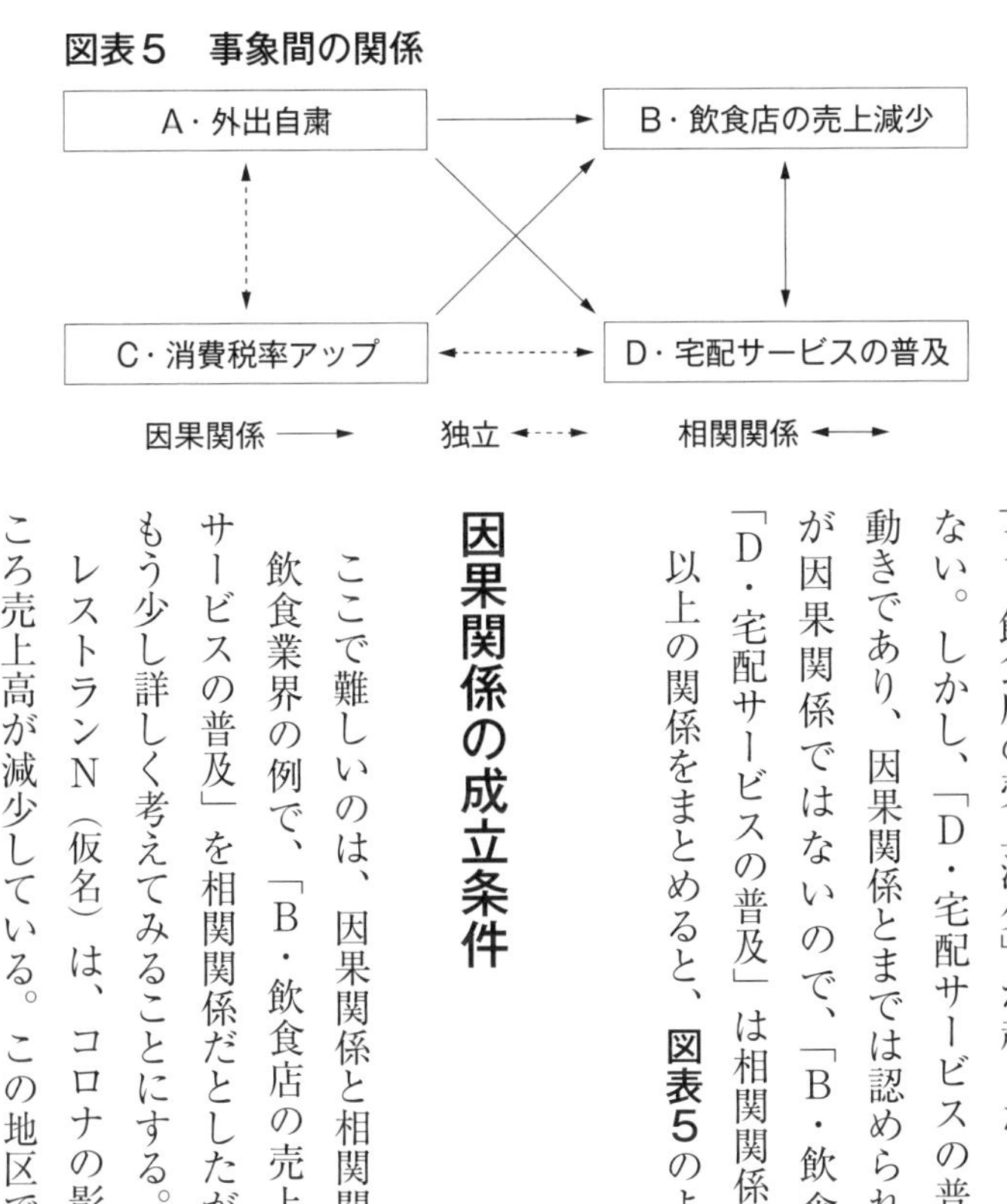

「B・飲食店の売上減少」が起きた、という可能性もなくはない。しかし、「D・宅配サービスの普及」はまだ局地的に動きであり、因果関係とまでは認められない。相関性はあるが因果関係ではないので、「B・飲食店の売上減少」と「D・宅配サービスの普及」は相関関係である。

以上の関係をまとめると、**図表5**のようになる。

因果関係の成立条件

ここで難しいのは、因果関係と相関関係の峻別であろう。飲食業界の例で、「B・飲食店の売上減少」と「D・宅配サービスの普及」を相関関係だとしたが、架空の例を使ってもう少し詳しく考えてみることにする。

レストランN（仮名）は、コロナの影響を受けて、このところ売上高が減少している。この地区で宅配サービスのツーパールーパー（仮名）が3月25日から営業を開始した。店主は次にように語った。

「ウーパールーパーがサービスを開始したから、そっちにお客さんが流れて売上高が減った」

店主は因果関係を想定しているが、正しいだろうか。どう判別すれば良いだろうか。

「Xという原因でYという結果が起こった」という因果関係が成立するには、次の三つの条件を満たす必要がある。

①相関性

Xが変化すればYが変化する。

XとYの相関係数rをExcelの関数CORRELで計算する。

相関係数は、$-1 \leqq r \leqq 1$ の範囲を取り、次のように判断する。

$|r| \geqq 0.8$　→強い相関

$0.6 \leqq |r| < 0.8$　→相関あり

$0.4 \leqq |r| < 0.6$　→弱い相関

$|r| < 0.4$　→ほとんど相関なし
$|r| = 0$　→相関なし（独立）

②時間的先行性
原因Xは結果Yよりも先に発生する。

③疑似相関の欠如
Xの他に因果関係を発生させる有力な要因がない。


レストランNの店主は、早速この三つを確認することにした。

まず3月25日にこのエリアで営業を開始したウーパールーパーの4月13日まで20日間の売上高のデータを入手した。これとレストランNの売上高のデータから、相関係数を計算した（**図表6**）。

相関係数は▲0・82であった。$|r| = 0.82 > 0.80$で「強い相関」であることから、①相関性が確認された。なお、この例のように二つの変数が逆の動きをし、相関係数がマイナスになっている状態を逆相関という。

つづいて店主は、売上高の減少が始まった時期を確認した。以前は忘年会のシーズンには一日20万円を超える日がたびたびあったが、2019年10月の消費税増税を境に減

図表６　相関係数

単位：千円

	ウーパールーパー	レストランN
3月25日	135	112
3月26日	322	105
3月27日	468	101
3月28日	482	108
3月29日	499	85
3月30日	621	91
3月31日	655	79
4月1日	582	74
4月2日	702	55
4月3日	763	70
4月4日	724	83
4月5日	785	84
4月6日	766	55
4月7日	1,021	66
4月8日	998	49
4月9日	1,130	35
4月10日	1,046	81
4月11日	1,155	59
4月12日	1,042	65
4月13日	1,149	50

り始め、２月にダイヤモンド・プリンセス号の報道が増えると、さらに減少が加速した。３月25日のウーパールーパーの営業開始よりも前に売上高減少が始まっており、②時間的先行性は否定された。

最後に、売上減少は外出自粛が影響していると店主は認識しており、③疑似相関の欠如が否定された。

このように、「ウーパールーパーのサービス開始」と「レストランＮの売上高減少」は①相関性はあるが、②時間的先行性と③疑似相関の欠如を満たしていないので、相関関係である。因果関係と考えた店主の見立ては間違っていた。

「夏の気温」と「ビールの売れ行き」のように因果関係が明白な場合、わざわざこうした確認作業をする必要はない。しかし、因果関係なのか、相関関係なのか疑わしい場合には、店主のように三つの条件を丁寧に確認するとよい。

対策の効果でも因果関係を確認する

問題の原因を認識したら、つづいて解決策を立案する。

「部下が最近たまに二日酔いで寝坊して遅刻する」という単純な問題なら、「飲み過ぎないように注意する」という解決策がパッと思い浮かぶ。部下の遅刻が常習化していない限り、これ以外の他の解決策は見当たらない。単純な問題では有力な解決策は一つで、実行するかしないかだけだ。普通は、問題が深刻化しないうちに、早めに実行する。

また、「火事が発生した」という緊急事態では、ごく軽微なら「消火器で消し止める」、すでに火が広がっているなら「早急に消防署に連絡する」という解決策が思い当たる。この場合も、迷わず解決策を実行するのみだ。

このように、単純な問題や緊急事態では、思いついた「これだ！」という解決策を手早く実行することが正しい。

ところが、複雑な問題では、さまざまな解決策があり、どれを実行すればよいのか、即座に判断がつかない。その場合、まず色々な解決策を列挙して、解決策（原因）とその効果（結果）という因果関係を確認して、ベストの解決策を選ぶという手順を踏む。問題の原因究明だけでなく、解決策の立案でも因果関係の認識は重要なのだ。

今回のコロナは、もちろん緊急事態なのだが、同時に、複雑な問題でもある。「とにかく早めに手を打とう！」というだけではなく、対策の効果の因果関係を確認する必要がある。

国が講じたコロナ対策のなかで、広く国民の関心と議論を呼んだのがアベノマスク。布製のマスクを全世帯に2枚を配布するという国の政策である。

> しかし、委託業者の選定の不透明さ、不良品の続出、配布の遅れとった問題が次々と明るみに出て、野党・国民から「予算の無駄遣いではないか」という声が広がった。
> 菅義偉（すがよしひで）官房長官は5月20日の会見で、「布マスクの配布などにより需要が抑制された結果、店頭の品薄状況が徐々に改善をされて、また上昇してきたマスク価格にも反転の兆しがみられる」と説明した。
> 記者から根拠を問われると、「東京などに届き始めてから、店頭でマスクが売られ始めたんじゃないでしょうか。非常に効果があると思う」と述べた。
> なお、会見前の5月18日時点で東京、大阪、北海道など13都道府県で約１４５０万枚が配布されたという。
> （各紙報道から構成）

アベノマスクの効果

アベノマスクの効果でマスク価格が下がったという菅官房長官の認識は正しいだろうか。

図表7　マスクの価格

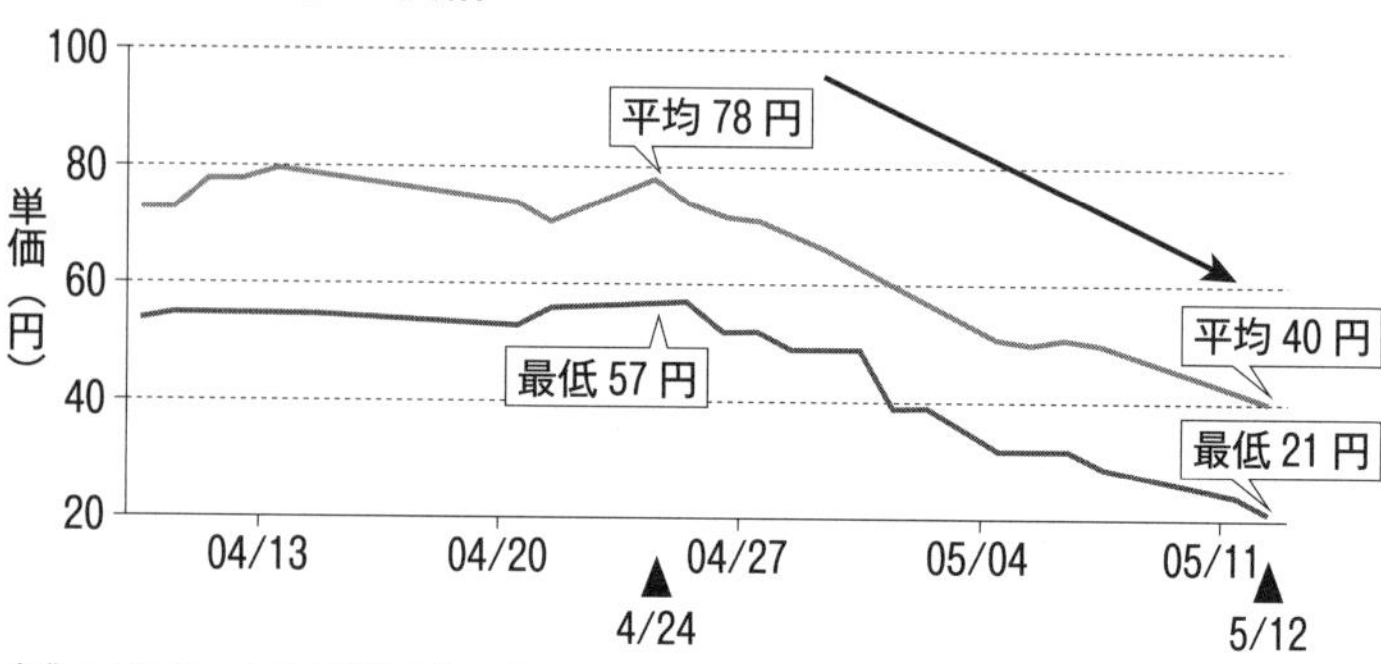

出典：アスツール株式会社 HP より。

図表7は、マスクの価格の推移である。全国的にマスクの価格は、平均・最低ともに、4月24日以降、急速に下がり始めている。

連休前、アベノマスクは東京の一部など限られた地域にしか届いていない。

一方、4月21日から家電大手のシャープがマスクの個人向け販売を始めるなど、このころ、他業種の民間企業のマスクビジネスへの新規参入が相次いだ。既存メーカーの増産効果も表れ始めた。

さらに中国産のマスクの輸入が再開したのもこのころだった。4月の成田空港の貿易輸入金額は、中国からのマスクの輸入が再開されたことを受けて、4月としては1979年（昭和54年）以降で過去最大を記録した。うちマスクの輸入は約150億円と、前年4月と比べて6倍近くになり、なかでも香港やマカオを含む中国産のものは20倍ほどに急増した。

まだ届いていないアベノマスクによって全国的に市況が下がるとは考え難い（時間的先行性）。実際には、価格低下は、シャープをはじめ民間企業の生産増と中国からの輸入増によるものだろう。

菅義偉官房長官としては、アベノマスクが四方八方から批判に晒されていることから、何とか成果をアピールしたかったのだろうが、因果関係を誤認した発言であった。

他にもさまざまな選択肢

菅官房長官の因果関係の誤認も、業者の選定や配布遅延も問題には違いない。ただ、それよりも重大で、世間であまり議論されていない問題がある。それは、そもそもアベノマスクが適切な政策、必要な政策だったのか、という点だ。

意思決定論の鉄則に「考えうるすべての選択肢のなかでベストの解決策を選ぶ」というのがある。パッと思いついた解決策に飛びついて、実行した後で他の優れた選択肢に気づくようではいけない。意思決定する前に、できる・できない、好き・嫌い、といったことを抜きに、考えうるすべての解決策を列挙する必要がある。

政府は、2020年2月下旬から感染者が増加し、医療現場での医療用マスクの不足が深刻になったことを受けて、3月上旬にアベノマスクを企画した（計画発表は4月1日）。国民に布製のアベノマスクを配布し、繰り返し使ってもらうことで、医療用マスクの使用を減らし、医療現場でのマスク不足を解消するというのが目的だった。

ここで、一般国民の医療用マスクの使用を減らすには、色々な方法があった。

①アベノマスク
②輸入再開
③既存マスク業者の増産
④新規業者のマスクビジネス参入
⑤フェイスシールドなど代替品の増産
⑥医療用マスクの購入制限
（私はマスクの専門家ではないので、他にもあるかもしれない）

このうち②は、中国を始め各国が国内供給を優先して輸出を制限したので、その時点では現実的ではなかった。①③④⑤⑥のなかで、①アベノマスクが最も効果的だったと言えるだろうか。

解決策を急ぐ前に

とくに気になるのが、③および④との比較だ。アベノマスクは既存のマスク業者が生産するマスクを配布するので、マスクの供給という点で③や④と本質的な違いはない。違いは、特定の業者と国の間で販売数量と価格が約束されているか（①アベノマスク）、されていないか（③と④）だけだ。国が特定の業者に生産委託するのと、自由競争に任せるのでは、どちらが効率的だろうか。

コロナによるマスク需要の増大は、③既存業者や④新規業者にとっては格好のビジネスチャンスだ。早い者勝ちで作って売るほど、利益が増える。一方、アベノマスクで国と契約した受注業者は販売数量と価格、つまり利益が予めほぼ決められているので、慌てて生産する動機も、よりたくさん生産する動機もない。さらに、最低限の品質を満たせば良いので、より良いマスクを作って利用する国民の満足度を高めようという動機も高まらない。

結果は、既存業者が増産し、シャープをはじめ多くの企業が短期間で参入し、中国からの輸入が再開し、大量供給でマスク価格が下がった。2020年6月になってもアベノマスクの配布は完了せず、自民党内からも「打ち切ってはどうか」という意見が出る始末だった。自由競争の完全勝利であった。

アベノマスクは経済産業省の発案だという。経済産業省の浅野大介サービス政策課長は、アベノマスクの企画理由を「布マスクを大量生産している会社は今時ないため政府が買い上げる形で発注した」とFacebook上で説明した（現在は削除されている）。

しかし、受注業者は、もしアベノマスクの契約がなければ、利益を求めてよりスピーディに、よりたくさん生産したと考えられる。契約があったため、受注企業は決められた数をのんびり生産した。アベノマスクは、マスクの供給量を早期に増やすためには逆効果だった。

経済産業省と提案を受け入れた安倍首相は、チャンスがあればここぞと動く民間企業の活力を完全に見誤り、逆にマスクの供給を停滞させてしまったことになる。ジタバタせず、黙って見ているのが、ベストの選択であった。

現状認識と意思決定において問題なのは、アベノマスクの実施を決定する前に、経済産業省から提案を受けた安倍首相ら官邸が以上のような検討をしたのかどうかだ。もし、大した検討をせず、国民に対し「やってますアピール」をするために経済産業省のアイデアに条件反射的に飛びついたなら、意思決定で一番やってはいけない過ちを犯したことになる。

現状認識のための手引き

第３章のポイント

・問題解決では、問題（結果）と原因、解決策（原因）と効果（結果）という二つの因果関係を確認する必要がある。
・事象間の関係には、独立・相関関係・因果関係の三つがある。
・因果関係が成立するためには、①相関性、②時間的先行性、③疑似相関の欠如、という三つの条件を満たす必要がある。相関性は、相関係数を計算して判断する。
・解決策を立案する際には、パッと目についた解決策に飛びつくのではなく、考えうるすべての解決策を列挙するようにしたい。

第4章　感染リスクと甲子園のリスク
――リスクの認識――

コロナのような危機ではリスクが問題になるが、そもそもリスクとは何であり、リスクをどう認識し、対処するべきだろうか。「感染リスクと夏の甲子園」、「新規事業の創造」を例に、リスクの認識と対応方法を検討する。

危機の時代とリスクマネジメント

コロナは、人類の生命だけでなく、日々の暮らしや経済活動、社会の構造にも甚大な影響を与え、「100年に一度の危機」と言われる。

ただ振り返ると、9年前、2011年の東日本大震災は「100年に一度の大震災」と言われた。12年前、2008年のリーマンショックは「100年に一度の金融危機」と言われた。このところ「100年に一度」が数年おきに訪れている。

これが偶然なのか必然なのか定かではないが、現代人は大きな危機と隣り合わせで生きていることは間違いなさそうだ。

危機の時代に大切なのが、**リスクマネジメント**（Risk Management）である。近年、国・自治体・企業などは、リスクを組織的に管理（マネジメント）し、損失を回避または低減することに努めている。

リスクマネジメントのなかでも、自然災害やテロといった緊急事態において被害を最小限に食い止め、事業を継続させていくことをＢＣＰ（Business Continuity Plan：事業継続計画）という。東日本大震災を機に日本企業でもＢＣＰの導入が進んだが、今回のコロナで改めて注目が高まっている。

ただ、リスクには危機というマイナスの面だけでなく、プラスの面もある。リスクとは何であって、どう対処するべきなのか、学問的にも議論のあるところだ。

この章では、リスクの認識とともに、その対応やプラス面についても検討してみよう。

甲子園を開催するリスク

もともとリスクは日常的に使う言葉だが、とりわけ今回のコロナショックでは、毎日のようにリスクという言葉を見聞きし、口にする。

コロナは、スポーツにも大きな影響を及ぼしている。感染リスクを理由に多くの競技大会が中止になったが、とりわけ注目を集めたのが、国民的な行事である甲子園の高校野球である。

2月以降、国内でコロナの感染拡大が顕著になったことを受けて、3月19日に開幕する予定だった春のセンバツ（第92回選抜高校野球大会）が史上初めて中止になった。

その後もコロナの感染拡大は収まらず、緊急事態宣言が発令された。こうした状況を受けて大会を主催する朝日新聞社と日本高校野球連盟（高野連）は5月20日、夏の甲子園（第102回全国選手権大会）とその予選を中止することを発表した。高校球児にとって、春夏ともに中止という悲しい決定となった。

高野連は、感染症に詳しい専門家の助言をもとに、全国大会で感染リスクを高める三密を避ける対策を検討した。試合を無観客開催にし、組み合わせ抽選会や開会式の取りやめなどを想定してきた。しかし、代表校の長時間移動や集団での宿泊などを考慮すると、感染リスクを避けられないと判断した。

この中止決定について、高校野球関係者だけでなく、各界から大きな反響があった。大阪府の吉村洋文知事は記者の取材に対して、「僕自身はやってほしかった。高野連はリスクを取るべきではないか。考え直してほしい」と語り、開催に期待を示した。

（各紙報道から構成）

このなかで、「感染リスク」、「リスクを取るべき」という表現でリスクという用語が使われているが、さて同じ意味だろうか。違うなら、どう違うのか。

まず、最も広い意味では、リスクとは不確実性である。将来どうなるかわからない状態のことを不確実といい、わからない程度の大小を不確実性という。

まず、「感染リスク」は、経済学やファイナンス理論で言うところの純粋リスク、吉村知事が言うリスクは投機的リスクである。

・**純粋リスク**：損失だけをもたらす不確実性
・**投機的リスク**：損失も利益ももたらす可能性がある不確実性

今回のコロナは、間接的には外出自粛によって宅配サービスが充実するといった利益が生まれる側面もあるが、直接的には損失だけをもたらすので、純粋リスクである。地震・火災も純粋リスクで、世間では「危険性」と訳す。リスクマネジメントが主に対象とするのは、この純粋リスクである。

一方、吉村知事が言うリスクとは、コロナ感染のことではなく、甲子園を開催するかどうか、という決断のことだろう。高校野球を開催すれば球児も国民・関係者も満足し利益がある。ただ、もしやクラスター発生で感染爆発が起こるという損失もありうる。利益も損失もありうるので、投機的リスクだ。株式投資やビジネスも、投機的リスクである。

リスクの認識

まず純粋リスク「コロナの感染リスク」について、リスクの認識と対応を見ていこう。

リスクマネジメントの第一歩は、リスクを認識することである。リスクアセスメントと言い、以下の三つを順に行う。

①リスクの特定
リスクを目に見える形でリストアップする。

②リスクの分析
特定したリスクの重大さを確認する。リスクが顕在化した際の影響の金額と発生

確率を見積もり、これを掛け合わせる。

③リスクの評価

リスク分析の結果を可視化する。影響の大きさをx軸、発生確率をy軸にとって、リスク分析の結果に従って個々のリスクをマップ上にプロットする。

このうち①で大切なのは、想定されるすべてのリスクを洗い出すことである。人は「まず起きないだろう」とリスクを放置してしまうことがある。とくに今回のようにできれば考えたくないリスクについては、「そんなに酷い状態にはならないだろう」という希望的観測から、自分に都合の良い情報にすがり、臭い物に蓋をすることになりがちだ（これは１０９頁で紹介する確証バイアスである）。

中国は、２０１９年11月22日に最初の感染者を確認したが、震源地の武漢を都市封鎖したのは1月25日で、二カ月間放置した。ＷＨＯのテドロス・アダノム事務局長が「パンデミック相当」と表明したのは3月11日のことだった。中国とＷＨＯのリスク認識が適切だったかどうかは、今後検証が必要だろう。

また、リスクに対応できるかできないか、対応にどれだけコストがかかるのか、といったことを考え、リスクの特定を怠ってしまうことがある。しかし、これらは②リスクの分析や③リスクの評価、リスクへの対応の中で考えるべきことである。

このように、実際に起こる・起こらない、都合が良い・悪い、対応できる・できない、といったことを考えず、まずはすべてのリスクを特定するようにしたい。

リスクへの対応方法

つづいて認識したリスクへの対応を検討する。

リスクを対応する手段として、次の四つのアプローチがある（例はコロナの感染リスクに当てはめたもの）。

・**回避**：リスクが発生しそうな活動を中止し、リスクを遮断する
例：人との接触8割減、三密の回避
・**軽減**：リスクによる損失の発生確率を低減したり、損失の規模を最小限にとどめるようにする
例：ウイルスの撲滅、ワクチン・治療薬の開発

・**受容**：リスクの発生可能性を容認し、損失が発生したら、自らの費用で損失を埋め合わせる

例：普段どおりに生活し、感染したら医療費を払って治療する

・**分散・移転**：リスクの源泉を一箇所に集中させず、分離・分散させる。保険などで他者に移転する

例：医療費を保険でまかなう

そして、先ほど認識したリスク発生確率や影響度などによって、対応を選択する（**図表8**）。

✓「回避」：発生確率が高く、国民に重要なマイナス影響を与える場合
✓「軽減」：発生確率が低くても、影響が大きい場合
✓「受容」：発生確率が低く、影響度も小さい場合、リスク耐久力がある場合、適切な「軽減」「移転」の方法がない場合、「軽減」「移転」のコストが高い場合
✓「分散・移転」：影響度が大きく、「軽減」することが難しい場合

図表８　リスクへの対応方法

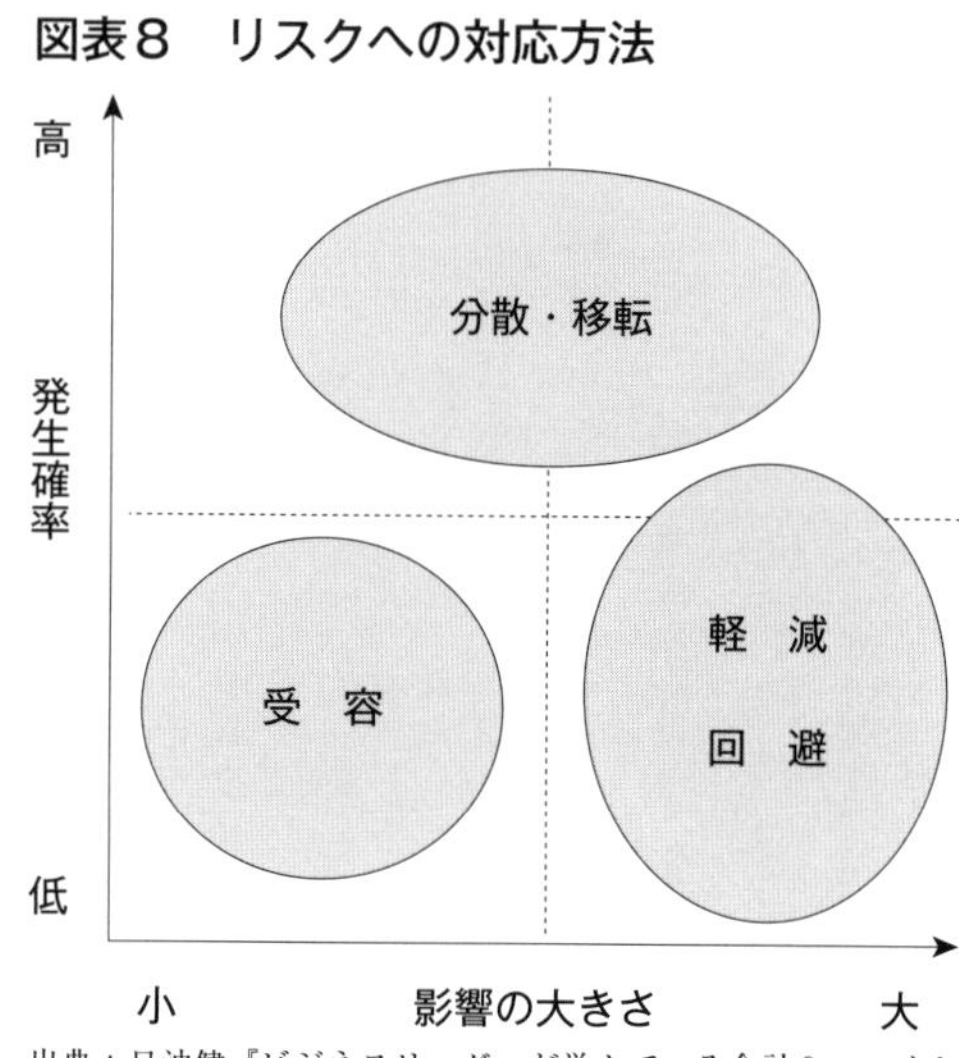

出典：日沖健『ビジネスリーダーが学んでいる会計＆ファイナンス』。

コロナがなくなるか、感染しても死亡など重大な影響がないことが理想なので、影響の大きさを考えると、「軽減」がベストの選択である。

しかし、ウイルスの撲滅やワクチン・治療薬の開発のめどが立っていないことから、現在、日本を含めて多くの国が採用しているのは、「回避」だ。「回避」の程度はさまざまで、都市封鎖や厳しい行動制限を課している国が多いなか、日本は比較的緩やかに対応をしている。

なお、コロナはリスクの影響が大きいので、「受容」を選択している国はスウェーデンやブラジルなどわずかだ。しかし、40～41頁で触れたとおり、もしも日本を含む東アジア諸国が遺伝的な理由などで感染症に対するリスク耐久力が高い（＝コロナにかかり難い、かかっても重篤化し難い）ということが確認されたら、「受容」は日本でも有力なアプローチとして浮上するかもしれない。

リスク対応の金銭評価

ここで悩ましいのは、リスク対応の金銭的な評価だ。対応にはコストがかかるので、リスクの影響だけでなく、対応のコストも認識し、比較する必要がある。さまざまなアプローチについて「影響額―対応コスト」を計算し、この金額が最も小さいアプローチを選択する。

ただ、コロナの場合、影響額のうち死亡した場合の〝命の値段〟を合理的に見積もるのは難しい。対応コストも、行動制限などによる「回避」は、経済活動を麻痺させ、膨大な社会コストを招いているはずだが、やはり見積もるのは難しい。

影響額も対応コストも見積もることが難しいので、感染リスク対策のアプローチを数値化して評価するのは極めて困難ということになる。よく「命と経済を比べるな」と言われるとおりだ。

ただし、経済活動停止によって生活に困窮し、自殺など経済的な死に至るケースも報告されるようになっている。命か経済かという対比でなく、数値的な分析も踏まえて、命と経済を両立させるための取り組みを進める必要があるだろう。

日本では、「回避」という国の方針への反対意見はあまりなかったが、世界最多の死者を出しているアメリカでは、4月以降、経済活動の再開を求めるデモが多発した。毎年流行するインフルエンザよりもはるかに死者数が少ないコロナのために経済活動を停止する「回避」は、影響額と対応コストのバランスを著しく欠いているという認識だと思われる。

甲子園を開催するべきか?

つづいて、投機的リスクについて検討しよう。

リスクの認識・対応ともに、基本的な考え方は純粋リスクと変わらない。対応の決定では、以下のように利益と損失の期待値を比較する。

利益の期待値＝利益予想額×利益の発生確率

損失の期待値＝損失予想額×損失の発生確率

夏の甲子園に当てはめてみよう。

夏の甲子園を開催することによる「利益」とは、出場する高校球児とその関係者、観戦するファンなどの満足感である。入場料収入のような金銭的な利益もある。経済学では、消費などによって得られる主観的な満足度のことを**効用**と呼ぶ。

問題は、利益予想額を金額で評価できるかどうか、である。効用という心理状態を金額で評価できるかどうかは、経済学では１８７０年代から議論されてきた。仮定を置けば計算できなくはないが、意思決定で使えるような信頼できる数値を導き出すのは難しい。

たとえば、「高校球児にとって甲子園に出場することは、プロ野球に入団するのと同じくらいの価値があるので、入団契約金の平均値６千万円の価値がある」という計算を聞いたら、おそらく「そういうもんですかねぇ」と感じるだけで、あまり説得力はない。

また、「損失」の期待値のうちコロナ感染による死亡者の損失額も、繰り返すが金額にするのは難しい。

さらに「利益」と「損失」の発生確率も、未知のウイルスということで正確に見積もるのは難しい。

すべての要素を見積もるのが難しいので、合理的に「利益」、「損失」の期待値を比較するのは極めて困難だ。したがって「なんとも言えない」、「その人の考え方次第」という結論になる。

ただし、「損失」の発生確率については、国内の感染状況を見ると、夏の甲子園を開催して高校球児から感染爆発が起こる可能性は、普通に感染対策をすれば限りなくゼロに近いだろう。よって「損失」の期待値は、ほぼゼロである。

「少しでもリスクがあったら回避するべき」という意見を極論として退けるなら、吉村知事の「高野連はリスクを取るべき」という主張に説得力がありそうだ。

リスクテイクの動き

ここでは、夏の甲子園を例に投機的リスクについて検討したが、一般に投機的リスクが問題になるのは、事業や資産運用といった経済活動（とギャンブル）である。

いま企業にとっては、コロナという純粋リスクによる売上高の急減などに対応し、事業をどう存続させるかが喫緊の課題になっている。

ただ、激動期には社会の仕組みや人々の暮らしが大きく変わり、多くの事業機会がもたらされる。まだまだ少数だが、「ピンチはチャンス」として、投機的リスクを取って新たな事業活動の展開に挑む動きが出始めている。

コロナの感染拡大で多くの企業が苦境に立たされるなか、コロナに伴う社会構造の変化を捉えた新規事業の創造に取り組むのが、インターネット広告事業などを手がけるサイバーエージェントである。

サイバーエージェントは、従業員の感染対策や業績悪化への対応を進める一方、２０２０年４月中旬以降、新規事業を推進する新会社ＭＧ-ＤＸとＯＥＮを設立した。

ＭＧ-ＤＸは、ドラッグストアのデジタルトランスフォーメーション（ＤＸ）を支援する。コロナの感染拡大で医療機関への負荷が増している状況から厚生労働省は、オンラインによる診療や服薬指導を前倒しで解禁した。ドラッグストアのＤＸ対応やオンライン服薬指導の体制作りが急務になっており、ＭＧ-ＤＸはこうしたニーズに対応していく。

ＯＥＮは、コンサートなどリアルイベントの中止で打撃を受けているエンターテインメント産業向けに、デジタルシフトやオンラインでの収益化をサポートする。サイバーエージェントには、オンラインで映像コンテンツを提供するABEMAがある。また傘下のプロレス団体・ＤＤＴプロレスは同じく傘下のDDT UNIVERSEを通してコンテンツを配信してきた。ＯＥＮは、こうした動画配信やマネタイズの技術・ノウハウをエンターテインメント産業でも展開する。

サイバーエージェントは、１９９８年の創業間もないころから、従業員が新規事業を提案し、採用されれば提案者が事業責任者（グループ会社社長）になれるという制度を運営している。サイバーエージェントはこの仕組みを使って、今後も従業員のリスクテイクを支援していく方針だ。

（サイバーエージェントのホームページや各紙報道から構成）

リスクとリターンの組み合わせ

サイバーエージェントの新規事業のように、大きな利益を獲得することを目指して投機的リスクを引き受けることを**リスクテイク**（Risk-Take）という。

リスクテイクについてよく言われるのが、「ハイリスク・ハイリターン、ローリスク・ローリターン」あるいは「虎穴（リスク）に入らずんば虎子（リターン）を得ず」。この言葉が意味するところを考えてみよう。

リスクとは利益獲得の不確実性、リターンとは利益（率）である。リスクとリターンの結びつきはどうなっているのだろうか。

有名な投資情報サイトでも「リスクが高いものはリターンも大きく、リスクが小さいものはリターンも小さい、というのが原則である」と説明されることもあるのだが、この「リスクによってリターンが決まる」という認識は、根本的に間違っている。

リスクとリターンにはハイ（高い）とロー（低い）があり、２×２で４通りの組み合わせがある。

①ハイリスク・ハイリターン

サイバーエージェントの新規事業は、当たれば大きな利益を獲得できるが失敗して損失が出る可能性も大きいので、ここに分類される。株式投資もここだ。

②ローリスク・ローリターン

国債への資産運用は、国債がデフォルト（債務不履行）になる可能性は低い一方、金利が低いので、ここに分類される。

ここまでは問題ないだろう。では、ハイリターン・ローリターン、ローリスク・ハイリターンという組み合わせは、現実にあるだろうか。

③ハイリスク・ローリターン

ギャンブルはこの分類になる。たとえば競馬は、当たりはずれの不確実性が大きく、払い戻し率は75～80％（馬券を100円買って75～80円戻ってくる）に設定されているので、利回りは▲25～▲30％である。ロー（低い）、というよりマイナスだ。

④ローリスク・ハイリターン

道端に千円札が落ちていれば、確実に手に入れることができる。また、かつての電力会社のような規制産業は、規制に守られて確実に利益を上げることができたので、ローリスク・ミドルリターンであった。

つまり、①「ハイリスク・ハイリターン」と②「ローリスク・ローリターン」だけでなく、③「ハイリターン・ローリターン」や④「ローリスク・ハイリターン」という組み合わせも存在するわけだ。

ハイリスク・ハイリターン、ローリスク・ローリターンの意味

ただし、ビジネスでは、会社の金を使ってギャンブルをすることは（あまり）ないので、③「ハイリターン・ローリターン」は一般に考えなくても良い。道端に千円札が落ちていることも、絶対に儲かる規制ビジネスもそんなにはないので、④「ローリスク・ハイリターン」もほぼ無視できる。

四つの組み合わせのうち、ビジネスでは③「ハイリターン・ローリターン」と④「ローリスク・ハイリターン」は排除され、①「ハイリスク・ハイリターン」と②「ローリスク・ローリターン」が残っている（**図表９**）。

人間には、できるだけ安全確実にリターンを獲得したいという欲求がある。経済学では**リスク回避的**（Risk-Averse）という。同じリターンの複数の投資

図表９　リスクとリターンの関係

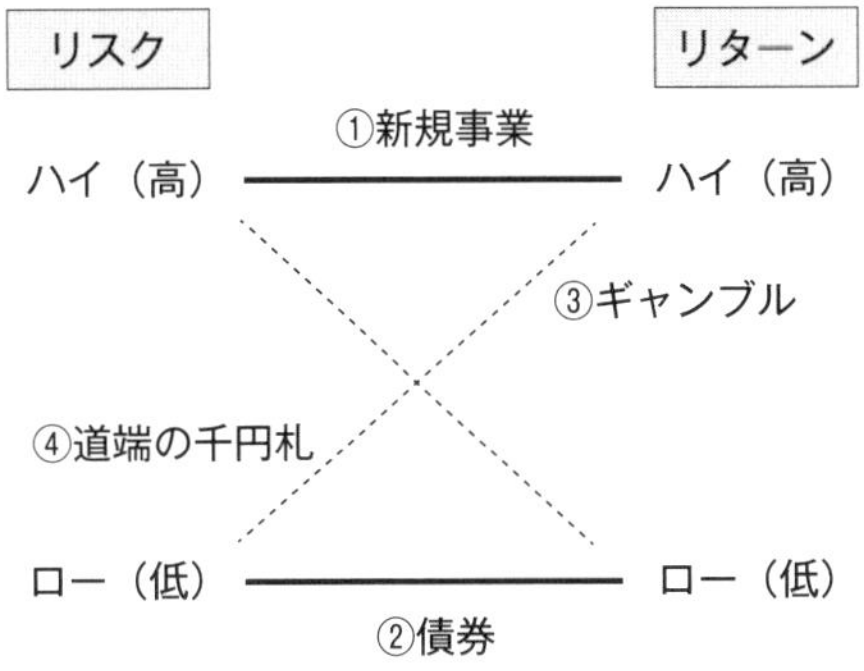

リスク		リターン
ハイ（高）	①新規事業	ハイ（高）
	③ギャンブル	
	④道端の千円札	
ロー（低）	②債券	ロー（低）

出典：日沖健『スマートチョイス』。

機会があったら、よりリスクが低い方を選好する。つまり、リスク低下には価値があるわけだ。

リスク回避的な人は、大きなリスクを負うならその見返りとして大きなリターンを期待できないと納得しない。逆に、リスクが小さいなら、小さなリターンでも我慢できる。残された二つの選択肢から大きな利益を目指してリスクテイクすることを①「ハイリスク・ハイリターン」、安全を重視してリスクテイクを控えることを②「ローリスク・ローリターン」と呼ぶ。これが「ハイリスク・ハイリターン、ローリスク・ローリターン」の本当の意味だ。

大切なのは、人はリターンとリスクのバランスを見て組み合わせを選んでいるだけで、リスクの大小によってリターンの大小が決まるわけでない、ということである。

イノベーションとリスクテイク

もともと人間はリスク回避的である。とくにコロナのような危機に直面すると、「できるだけリスクを避けよう」という考えに大きく傾く。

たしかに純粋リスクは、（コストを気にしなければ）できるだけ避けた方が良いのだが、それと投機的リスクとは分けて考える必要がある。

ビジネスは投機的リスクそのものである。短期的にはリスクを避けて慣れ親しんだ今までの事業運営を続ければ良いとしても、市場・競合など環境が変化するので、リスクを避けてばかりではいけない。環境変化に対応して新市場の開拓、新製品の開発、新規事業の創造といったリスクの大きいことに挑戦しないと、長期的に発展することはできない。

今までにない新しい事がらを総称して**イノベーション**（Innovation）という。戦後の焼け野原で再スタートした日本企業は、アメリカ企業を見習って「より良い物をより安く」という経営で成功した。しかし、１９９０年代からグローバル化・ＩＴ化・新興国の台頭といった環境変化への対応を誤り、長期停滞に見舞われている。「より良い物をより安く」はすでに新興国企業にお株を奪われており、イノベーションを起こすことが日本企業の喫緊の課題になっている。

経済学者のヨーゼフ・シュムペーターは、イノベーションの本質を「新結合の遂行」と喝破した。イノベーションというと、研究者が一人で研究室に閉じこもってじっと思索にふける光景を思い浮かべる人が多いかもしれないが、実態はそうではない。イノべーションがゼロから起こるわけではなく、既存の情報・知識・ノウハウなどの組み合わせを変え、試行錯誤することで生まれるのだ。

これまでのやり方を洗練させる改善と違って、試行錯誤である「新結合の遂行」で成果が出るかどうかは、まったく不確実（Risky）である。つまり、イノベーションの本質は、リスクテイクなのだ。リスクテイクなしにイノベーション、そして大きな事業の発展はない（イノベーションの創造については、157頁以降で詳述する）。

感染リスクという純粋リスクを警戒する一方、イノベーションという投機的リスクに挑むというのが、いま企業に求められることだ。リスクという言葉を一括りにして、長期的に必要なリスクテイクを躊躇することがないようにしたいものである。

現状認識のための手引き

第4章のポイント

・リスクマネジメントが重要になっている。近年、国・自治体・企業などは、リスクを組織的に管理し、損失などの回避または低減することに努める。

・リスクとは不確実性で、損失だけをもたらす純粋リスクと利益も損失ももたらす可能性がある投機的リスクがある。
・リスクアセスメントでは、すべてのリスクを洗い出すことが大切だ。
・リスク対策には、回避、軽減、受容、分散・移転といった方法がある。発生確率と影響の大きさを考慮して方法を選択する。
・投機的リスクでは、リスク選好度に応じてハイリスク・ハイリターン、ローリスク・ローリターンのどちらかを選ぶ。
・より大きな利益を求めて新規事業など投機的リスクに挑むことで、イノベーションが生まれる。純粋リスクと投機的リスクを混同してはいけない。

第5章　自粛の努力を無駄にするな？
――バイアスのない認識――

人間の意思決定は必ずしも合理的ではなく、認知バイアス（偏り）に影響され、間違いを犯してしまうことが多い。「岩手県の奇跡」、『トイレットペーパーの買い占め』、「自粛解除」などを例に、認知バイアスに囚われない意思決定のあり方を検討する。

認知バイアスと行動経済学

意思決定をする際には、ここまで解説してきたように、適切な情報を収集し、分析・評価する必要がある。情報をたくさん集めれば集めるほど、意思決定の合理性が高まると考えがちだ。

ただ、われわれの失敗体験を振り返ると、情報が足りなくて間違いを犯すというよりも、後で冷静に振り返ると「どうしてこんなことをしてしまったのだろう」と悔やむケースが多いのではないだろうか。早とちり、思い込み、勘違い、変なこだわり、楽観といった原因で失敗することは日常茶飯事だ。デマに踊らされてしまうということもある。

こうした認知の誤りのことを**認知バイアス**という。バイアス（Bias）とは偏りのことで、情報を評価し、意思決定する際には、認知バイアスに注意しなければならない。

近年、意思決定における認知バイアスの影響を分析する行動経済学が大きな注目を集めている。

伝統的な経済学では、人間は完全な情報に基づいて経済合理的に意思決定すると想定されている。ある財の品質について完全に知っており、市場で形成されている価格だけを見て行動するという経済学の大前提を、プライステイカー（Price-Taker）という。財の市場価格が高ければ、企業はたくさん作って売り、消費者は買うことを控える。逆に、財の市場価格が低ければ、企業は作るのを控え、消費者はたくさん買う。

それに対し行動経済学では、人間の意思決定は限定合理的であると考える。限定合理的というのは、人は完全に合理的でも、まったく非合理的でもなく、限られた情報の範囲で合理的に意思決定する、ということである。

普通の状態でも難しい現状認識。コロナのような危機のときには、より冷静な現状認識が求められる。しかし、不安・恐怖といった感情から、認知バイアスで非合理的な行動をしてしまうことが多い。

今回のコロナでは、認知バイアスで、現状認識を誤ったケースを見受けた。代表的な事例を考えてみよう。

人間の認知を狂わしてしまう要因として、株式投資ではよく「強欲と恐怖」が問題になる。コロナの場合、考えなければならないのは、もちろん恐怖の方である。

岩手県の奇跡とその代償

新型コロナウイルスの感染が全国に広がるなか、がぜん注目を集めたのが、岩手県だ。全国の感染者数が17,946名に上っているのに、2020年4月11日以降、国内で唯一「コロナがゼロの県」を継続している（6月26日現在）。

岩手県が感染ゼロを続けている原因は、首都圏との交流が少ない地理的条件に加えて、自治体が徹底した水際対策に取り組んだことだ。3月以降、県内の自治体は、県外からの来訪者によって感染が拡大することを防ぐため、盛岡駅などで来訪者の体温チェックをしたり、全国にいわゆる〝コロナ疎開〟を自粛するよう呼びかけたりした。

アメリカ『ウォールストリートジャーナル』は特集記事を組んで「岩手県の奇跡」と称賛し、「東日本大震災以降、県民には危機感がある」という県の新型コロナウイルス対策担当者のコメントを紹介した。

その岩手県で、感染以外の〝コロナ被害〟が問題になっている。

首都圏との交流を遮断したため、観光に依存する自治体を中心に、県内経済は大きく落ち込んだ。東日本大震災の復興事業に遅れが出たという報告もあった。

また、感染を恐れるあまり、県立病院では県外者の受け入れを拒否する事例が発生した。北上市などで県外ナンバーの車が傷つけられるという事件も頻発した。

こうした事態を受けて、岩手県の達増（たっそ）拓也知事は5月15日、「第一号になっても県はその人を責めません」、「感染者は出ていいので、コロナかもと思ったら相談してほしい。陽性は悪ではない」という異例の呼びかけを行った。

当初は「岩手県の奇跡」を誇りに思っていた県民からも、「対策はちょっとやりすぎ」、「不謹慎かもしれないが、早く一人目の感染者が出て、楽になりたい」という声が聞かれるようになった。


（『ウォールストリートジャーナル』など各紙報道から構成）

冷静に考えれば、岩手県のように感染拡大が見られない地域では、手洗いの励行や三密の回避といった基本的な対策をすれば十分だった（国も3月中旬まではそういう方針だった）。ところが、岩手県だけでなく全国の過疎県で過剰な感染対策が繰り広げられ、コロナによる直接の被害はほぼゼロなのに、感染対策による被害が大きく広がるという、なんとも皮肉な結果を招いてしまった。

損失回避バイアスが働いた

過疎県での過剰対策は、行動経済学の**損失回避バイアス**で説明することができる。損失回避バイアスとは、利益と損失が同じ額であれば、利益から得る快感より損失による苦痛の方を大きく感じるというものだ。

損失回避バイアスは、アメリカの行動経済学者ダニエル・カーネマン教授の**プロスペクト理論**に基づいている。行動経済学を代表する理論なので、簡単に紹介しておこう。

プロスペクト理論は、価値関数と確率加重関数という二つの関数からなる。価値関数は人間が利益と損失に対してどのような満足と不満足を抱くかを説明する。確率加重関数は、人間が確率をどのように評価するかを説明する。

図表10のように、価値関数では、利益と損失が同じ額の場合、利益から得る快感＝Aよりも、損失による苦痛＝Bの方が大きいと考える。

今回の岩手県の対策に当てはめると、緩やかな対策にとどめることによる利益（満足度）よりも、感染拡大による損失の方が大きく感じられるということである。

図表10　価値関数

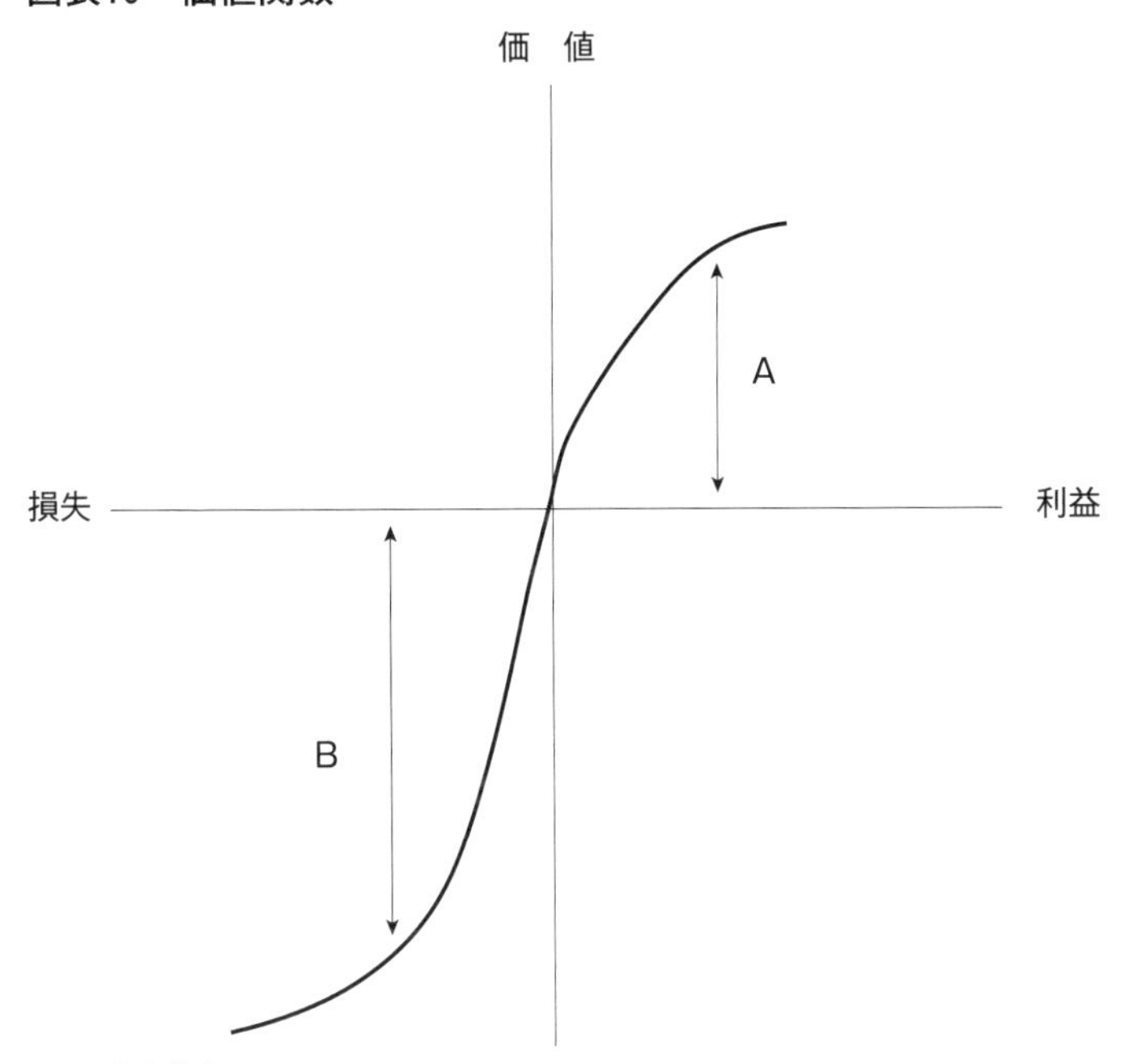

出典：筆者作成。

またしてもトイレットペーパーの買い占め

恐怖を覚えた人間が取るパニック的な行動として、デマや同調行動がある。集団において、無意識のうちに人と同じ行動をとってしまう現象を同調行動と呼ぶ。

感染拡大を受けて、2020年2月からマスクの不足が顕著になり、全国の薬局・ドラッグストアでマスクを求めて開店前から行列を作る光景が見られるようになった。

買い占めは、マスクにとどまらなかった。トイレットペーパーについても、中国からの原材料の輸入が途絶えて品不足になるという情報がネットなどで流布され、買い占めが始まった。実際には、日本家庭紙工業会が「需要満たす十分な供給量がある」と発表したとおり、デマだった。

日本テレビ系情報番組「スッキリ」(3月2日放送)は、「トイレットペーパーが入手困難になる」という情報を信じて買い占めに走る市民の様子を報道した。番組のインタビューに答えたある女性は「情報がデマだとわかっている」と答えた。

デマだと知りつつ行列する人々について、番組MCのタレント加藤浩次は、次のように批判した。

「デマだとわかっていて買ってしまうのはずいぶん滑稽なことなんだよと思わなきゃいけない」、「バカみたいな買い方さえしなければ普通に店頭にある。（購入している人は）自分を恥じないといけない」。

最終的には、テレビ局がトイレットペーパーの倉庫を実況中継するなどすったもんだした挙句、買い占めは3月中旬以降、沈静化した。

（日本テレビ「スッキリ」と各紙報道から構成）


周囲の人に同調して判断してしまうことを**同調性バイアス**という。今回のような買い占めは、他の人がそうしているから同じ行動をするという点で、同調性バイアスである。ある人がデマに同調すると、その同調行動が次の人の同調行動を誘発し、今回のような社会不安に発展してしまう場合がある。

加藤浩次が指摘するとおり、冷静に考えると「デマだとわかっていて買ってしまうのはずいぶん滑稽」なのだが、「わかっていて」というのが厄介なところだ。正しい情報が「わかっていない」から買い占めをしているなら、正しい情報を提供すればよい。しかし、間違いだと「わかっていて」同調している人の行動を変えるのは、なかなか難しい。

日本人は、同調圧力に弱く、同調性バイアスに陥りやすいと言われる。1973年のオイルショックでもトイレットペーパーの買い占めが起こり、社会問題化した。人間の本性は、時代は変わってもそんなに大きく変わらないのだと痛感する。

都合の良い情報だけを信じる

恐怖に直面したとき、人は安心感を得るために、自分にとって都合の良い楽観的な情報だけを取り入れようとする。

中国から始まった新型コロナウイルスの感染拡大は、当初ヨーロッパ諸国にとって〝対岸の火事〟だった。ところが、2020年2月以降、ヨーロッパ諸国に感染が広がり、あっと言う間に感染者数・死者数とも中国を上回った。

なかでもイタリアは、世界で四番目に多い33,846人の死者を出し（6月7日現在）、深刻な被害に見舞われている。

じつは、イタリア政府のコロナへの対応は迅速だった。1月から医療関係者が破滅的な事態を予測したことや、WHOが「国際的に懸念される公衆衛生上の緊急事態（PHEIC）」を宣言したことを受けて、ジュゼッペ・コンテ首相は早くも1月31日、六カ月間の緊急事態宣言を出した。ヨーロッパでは最初の緊急事態宣言だった。

しかし、国民や多くの政治家は、コロナを重大な危機と考えず、政府の対応を懐疑的な目で見ていた。1月下旬のイタリア国内初の感染者は観光でローマを訪れた中国人夫婦だったことから、「アジア人と接触しなければ大丈夫」と信じる国民が多かった。

そのため、同国の北部でパンデミック状態になるまで、イタリア国民は、あまり感染対策を行わなかった。

2月下旬には、著名な政治家数人が北部の大都市ミラノで多くの市民と握手を交わし、ウイルスが原因のパニックによって経済を停止させてはならないと呼び掛けた。一週間後、その政治家の一人が感染したことが明らかになった。

（各紙報道から構成）

あることを考えるとき、自分の考えを肯定するような情報にばかり目を向け、否定するような情報を無視・軽視する傾向のことを**確証バイアス**と言う。

イタリアでは、破滅的な事態を予測する医療関係者がいたにもかかわらず、国民や一部の政治家は耳を貸さず、「アジア人と接触しなければ大丈夫」と信じた。感染対策を徹底すれば不自由な生活になってしまうが、「アジア人と接触しなければ大丈夫」なら生活は変わらない。自分にとって都合の良い情報を盲目的に信じたのは、典型的な確証バイアスであった。

日本で、今年に入ってから急速にＭＭＴが支持を集めているのも、確証バイアスの例である。ＭＭＴ（Modern Montary Theory：現代貨幣理論）は、政府が自国通貨立てで借金して財政赤字を増やしても問題ないという理論だ。日本政府の債務残高は、対ＧＤＰ比２３７％（２０１８年）と世界最悪の財政状態で、今後、コロナ対策で数十兆円規模の国債発行が予定されていることから、財政への不安が高まっている。

ＭＭＴの正否についてここでは立ち入らないが、どんなに借金しても大丈夫というＭＭＴは、財政難に悩む政府にとって非常に都合がよい。政府は、都合がよいかどうかでなく、冷静にメリットとデメリットを比較し、財政政策を決定する必要がある。

自粛の努力がもったいない？

恐怖を覚えていなくても、冷静かつ有能な人であっても、認知バイアスに陥ることがある。

その典型が、**コンコルド効果**（Concorde Fallacy）だ。コンコルド効果とは、ある対象にお金や時間を投資し続けることが損失になるとわかっていても、それまでの投資が惜しくてやめられないことを言う。平たく言うと「もったいない」である。

コンコルドは、イギリスとフランスが共同開発した超音速旅客機である。１９６９年に開発計画を公表した当初、高い飛行性能や斬新なデザインで世界的に人気を博したが、客席数の制約や燃費の問題から採算が取れないことが判明した。しかし、それまで投入した予算や時間が水の泡になってしまうことから開発を続行し、最終的に事業会社は莫大な損失を出して倒産した。

２０２０年５月５日、政府は４月７日から続いた緊急事態宣言をさらに一カ月延長することを決めた。

それを受けて、東京都は同日、都民への外出自粛、事業者への休業要請、都立学校の臨時休校など緊急事態宣言での対応を5月末まで継続することを正式決定した。

小池百合子都知事は、記者会見で次のように述べた。

「都民のみなさま、事業者のみなさま、どうぞ、その努力を水の泡に帰さないためにも、また、早期に都民生活、東京の経済を再建するためにも、ご理解とご協力、引き続きよろしくお願い申し上げます」

(各紙報道から構成)


コンコルド効果は、管理会計で言う**サンクコスト**(Sunk-Cost：埋没費用)である。管理会計には、「サンクコストを無視せよ」という重要なルールがある。意思決定では、すでに支出し、回収不可能なサンクコストを無視して、意思決定によって将来発生する収益(増分収益)と費用(増分費用)だけを比較するということだ。

小池都知事の「努力を水の泡に帰さないために自粛を続けよう」という発言に当てはめてみよう。

5月5日までの都民の努力は、すでに過去に投入したもので回収不可能だ。サンクコストであり、無視しなければならない。考慮するべきなのは、今後も自粛を継続することによって発生する増分収益と増分費用だ。

増分収益＝メリットは感染リスクの軽減であり、増分費用＝デメリットは経済活動停止の影響などである。

増分収益＞増分費用　→　自粛を継続する
増分収益＜増分費用　→　自粛を継続しない

都民に多大な苦労を強いてコロナ対策を進めている小池都知事としては、「都民の皆さまがこれまでどんなに努力したとしても、一切関係ありません。大切なのは未来のことだけです」とはもちろん言えないだろう。

しかし、都民向けの発言はともかくとして、「自粛継続ありき」でなく、サンクコストを無視し、増分収益・増分費用の比較分析に基づいて冷静に意思決定をできていただろうか。今後検証する必要がある。

ナッジで意思決定を変える

ここまで例を挙げて紹介したように、認知バイアスは人々の現状認識・意思決定に大きな影響を与えている。

では、認知バイアスの影響を排除し、人の行動を変えるには、どうすれば良いのか。カギになるのが、ナッジである。**ナッジ**（Nudge）とは、英語で「軽く肘でつつく」という意味だ。理論を考案した、アメリカの行動経済学者リチャード・セイラー教授はナッジを「選択を禁じることも、経済的なインセンティブを大きく変えることもなく、人々の行動を予測可能な形で変える選択アーキテクチャーのあらゆる要素」と定義している。力ずくではなく、人の行動をそれとなく良い方向へ促そうということだ。

ナッジの最も有名な成功事例が、オランダのスキポール空港の男子トイレである。1999年、それまで小便器の周辺に撒き散らされた利用者の小便の汚れで床の清掃費が高くついていたことに業を煮やしていた職員が、ふと思いついて便器の内側に、一匹のハエの絵を書いたところ、床を汚す利用者が減り清掃費は8割減少した。これは、「人は的があると、そこに狙いを定める」という行動心理に合致した、ナッジだった。

という話を聞くと「おお、なるほど！」と膝を叩くのだが、問題は、こういう会心のナッジがなかなか見つからないことだ。コロナでもナッジの活用が期待されたが、たとえばトイレットペーパーの買い占めではメーカーの倉庫の映像を繰り返し放送して抑え込むなど、力技で何とか乗り切ったという印象である。

ＯＥＣＤ（経済協力開発機構）は、BASICというフレームワークを提示して、加盟国にナッジの活用を促している。BASICは以下のプロセスである。

①Behavior　人々の行動を見る
②Analysis　行動経済学的に分析する
③Strategy　ナッジの戦略を考える
④Intervention　ナッジによる介入をする
⑤Change　変化を計測する

また経済産業省は、２０１９年、省内に新たなプロジェクトチーム「ＭＥＴＩナッジユニット」を設置した。今後、経済政策におけるナッジ活用の検討を本格化させる方針だ。官学が民間企業を巻き込んでナッジを広く適用していくのは、今後の課題である。

現状認識のための手引き

第5章のポイント

・人間の認知は、完全に合理的でも、まったく非合理的でもなく、限定合理的だ。そのため、認知バイアス（偏り）に影響されてしまう。
・恐怖に直面すると、損失を避けようという損失回避バイアスに陥る。損失回避バイアスは、利益から得る快感よりも、損失による苦痛の方が大きいというプロスペクト理論に基づいている。
・周囲の人に同調して判断することを同調性バイアスという。日本人は同調性バイアスに陥りやすいと言われる。
・安心感を得るために、自分にとって都合の良い楽観的な情報だけを取り入れようとする。これを確証バイアスという。
・意思決定では、過去に支出して回収不可能なサンクコストを無視する必要がある。
・認知バイアスへの対応として、選択を禁じることも、経済的なインセンティブを変えることもなく、人々の行動変容を促すナッジを活用したい。

第6章　コロナが終息すれば幸せか？

――感情の認識――

危機に直面して人は平穏無事で幸福な生活を渇望するが、そもそも幸福とは何なのか。幸福感をどう認識すれば良いのか。「ＪＲ東神奈川駅の伝言板」、「テレワーク」を例に、幸福感・モチベーションという個人の感情を認識する考え方・方法を検討する。

幸福への関心が高まる

人は幸福になりたいと願って生きている。ただ、幸福な状態のときは、何も考えないか、「ああ幸せ！」と言うくらいで、幸福についてさほど深くは考えない。

今回、コロナで多くの人が不幸な境遇に追い込まれ、改めて幸福とは何なのか考えるようになっている。

ただ、幸福は個人の心のなかにある感情なので、認識するのは難しい。そもそも個人の心の問題であり、国民の幸福を現状認識する必要や価値がどこにあるのか、という疑問もある。

いま国民が幸福についてどう考えているか、伺い知ることができる出来事があった。

携帯電話が普及する１９９５年ころまでは全国の駅で見かけた、黒板にチョークを用いて伝言を書く伝言板。２０２０年4月30日、ＪＲ東神奈川駅（横浜市神奈川区）の改札付近に、伝言板が復刻設置された。

発案者はＪＲ東日本の７人の若手社員。コロナの影響で旅行をＰＲするポスター広告が剥がされた壁を見て、暗い話題が多いなか、何か少しでも明るい話題を提供したいと考えた。

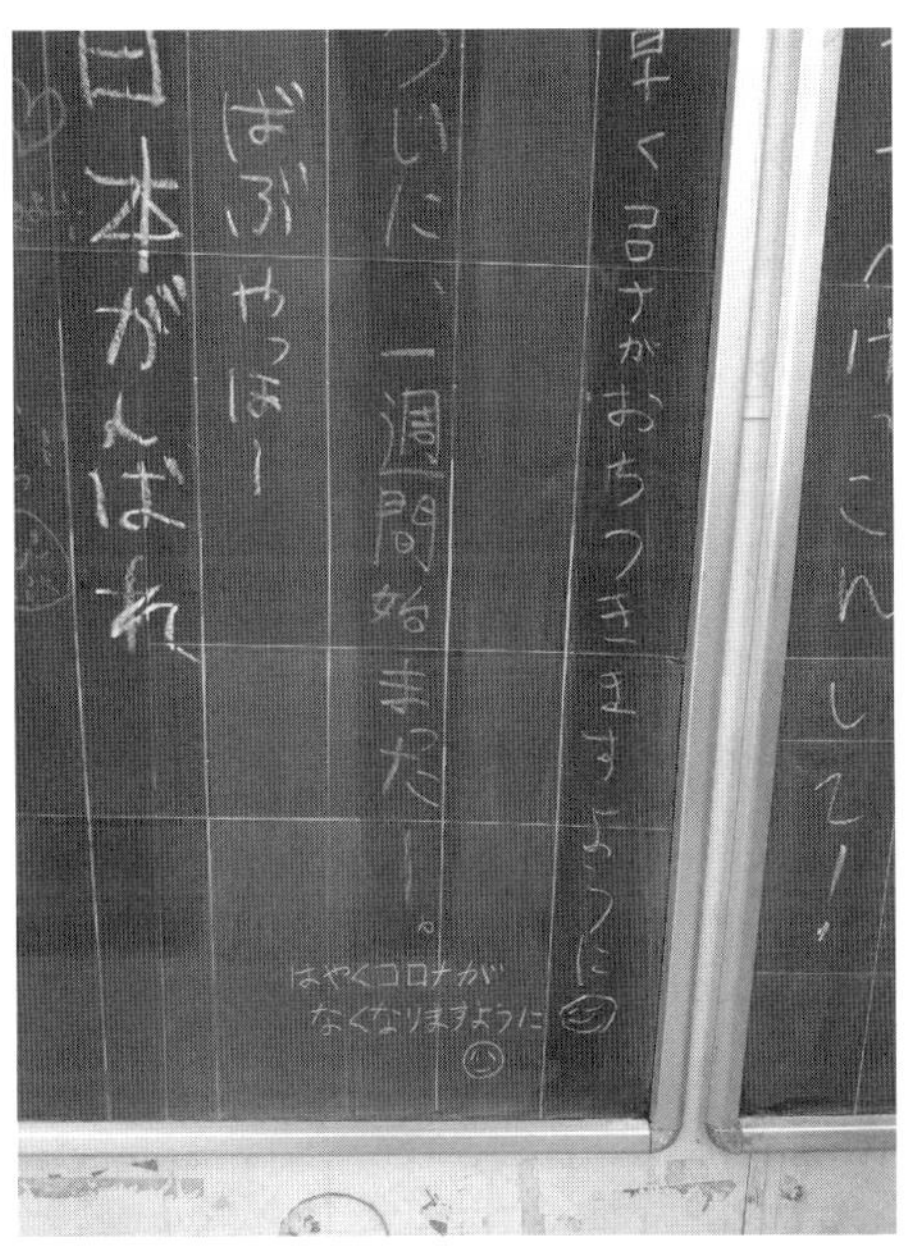

※ JR 東神奈川駅の伝言板（６月８日筆者撮影）

黒板の上には、同駅の52人の駅員で考えた手書きメッセージを添えた。「行きたい場所がある。会いたい人がいる。あなたの想（おも）いを文字にしませんか。想いや希望を共有することで閉塞した雰囲気が和らぐと思い伝言板を競ってしました。駅社員一同、皆さまが笑顔ですごい日々が戻ると信じています。皆さま負けずにがんばりましょう！」

伝言板には「一緒に学校に行こうね」、「いつか出勤できる日がきてほしい」、「JRさんありがとう」など、駅利用客の思い思いの言葉がズラリと並ぶ。

伝言板を設置した駅員の一人は「よく見られるのは『日常に戻りたい』という願いごと」と話す。

（ヨコハマ経済新聞、２０２０年5月20日記事を再構成、https://www.hamakei.com/headline/10890/）

アダム・スミスの幸福論

「一緒に学校に行こうね」

「いつか出勤できる日がきてほしい」

「日常に戻りたい」

「早くコロナがおちつきますように」

コロナに学業・仕事、そして日常の暮らしを脅かされているいま、いずれも国民の切実な声であろう。

幸福とは何であって、どう認識すれば良いのか。

大昔からさまざまな論者が幸福論を展開しているなか、意外と知られていないのが経済学の祖、アダム・スミスの幸福論。現在の日本人が考える幸福論と共鳴する部分が多いので、紹介しよう。

大阪大学・堂目卓生教授『アダム・スミス』によると、スミスは亡くなる前年、代表作『道徳感情論』の第六版に以下の文章を追加している。

エピルスの王の寵臣が王に言ったことは、人間生活の普通の境遇にあるすべての人びとにあてはまるだろう。王は、その寵臣に対して、自分が行おうと企てていたすべての征服を順序だてて話した。王が最後の征服計画について話し終えたとき、寵臣は言った。「ところで、そのあと陛下は何をなさいますか」。王は言った。「それから私がしたいと思うのは、私の友人たちとともに楽しみ、一本の酒で楽しく語り合うということだ」。寵臣はたずねた。「陛下が今そうなさることを、何が妨げているのでしょうか」。

スミスというと、弱肉強食の自由主義経済の信奉者だと思いがちだが、そうではない。スミスは、慎ましく平穏無事な生活を送るのが幸せな状態であり、それ以上の贅沢な暮らしは、幸福感とは無関係だとする。

スミスは、『道徳感情論』のなかで「賢人」と「弱い人」を対比させている。「賢人」は、最低水準の富さえあればそれ以上の富は自分の幸福に何の影響ももたらさないと考えるのに対し、「弱い人」は、最低水準の富を得た後も富の増加が幸福を増大させると考える。

ただし、贅沢な暮らしが無意味ということではない。王侯貴族や成功者が贅沢品を消費すると、贅沢品の生産に労働者が携わるようになる。最低限のものだけを生産する社会よりも多くの労働者が収入を得て、平穏無事な生活を送ることができるようになる。つまり、人々が大きな富を求めて自由に活動することによって、「見えざる手」に導かれて幸せな国民が増える…。これが（大雑把に言って）スミスの経済思想だ。

現下の状況で、「平穏無事な生活こそが幸せ」というスミスの考えに多くの人が賛同するに違いない。コロナで大きな被害を受けて、多くの人が平穏無事な生活を渇望している。

平穏な生活が戻れば本当に幸せか？

ただ、今後はどうだろうか。

仮に一年後、コロナが終息して平穏無事な生活を取り戻したら、人々は幸福を実感できるだろうか。

確実に今より不幸ではなくなるが、幸福に感じるかどうかは微妙だ。たとえば日本で、年収５００万円あれば平穏無事な生活を送れるとしよう。かつて年収６００万円だったあなたは、コロナの影響で年収が３００万円に半減したが、１年後５００万円に回復した。

平穏無事な生活を取り戻し「やれやれ」と一息つくが、ここで日本人の平均年収が６００万円に増えていると知った。さて、あなたは幸福感に浸れるだろうか。

「５００万円あれば幸せ、他人のことは関係ない」と考えることができるのは、スミスが言う「賢人」だ。「俺は５００万円なのに、どうして他の人は６００万円なんだ」と周りを気にするのは、「弱い人」である。

世の中には「賢人」も「弱い人」もいる。しかし、次のような事実から考えると、

「弱い人」が圧倒的に多いのではないだろうか。

・日本はそこそこ豊かなのに、ブータンのような貧しい国よりも国民の幸福感がはるかに低い。
・SNSには贅沢な生活を披露する投稿が溢れている。
・雑誌で会社別の年収ランキングを特集すると、売れ行きが良くなる。

平穏無事な生活を送るのが幸せな状態であるというスミスの主張、他人が気になってしまうという人間の習性、この二つを合わせて考えると、幸せになるというのは有能な王ですらできない、極めて困難な願いのようだ。

幸福の四つの因子

アダム・スミス（1723～1790年）が幸福論を展開しているとおり、幸福に関する研究の歴史は古いが、2008年を境に幸福（Happiness や Well-being）に関する学術研究が飛躍的に増えている。２００８年と言えばリーマンショック。今回のコロナと同様、「１００年に一度の（金融）危機」に直面し、改めて幸福について向き合おうという機運が高まったのだろう。

近年の膨大な研究の成果を紹介するのは難しいので、ここでは幸福の因子に関する慶應義塾大学・前野隆司教授の研究を紹介しよう。

前野教授は、幸福に関する先行研究から幸福に影響を与える項目を洗い出し、アンケート調査を行い、因子分析から幸福に影響を与える四つの因子を特定した。

第一因子「やってみよう！」因子（自己実現と成長の因子）
・コンピテンス（私は有能である）
・社会の要請（私は社会の要請に応えている）
・個人的成長（私のこれまでの人生は、変化、学習、成長に満ちていた）
・自己実現（今の自分は「本当になりたかった自分」である）
第二因子「ありがとう！」因子（つながりと感謝の因子）
・人を喜ばせる（人の喜ぶ顔が見たい）
・愛情（私を大切に思ってくれる人たちがいる）

・感謝（私は、人生において感謝することがたくさんある）
・親切（私は日々の生活において、他者に親切にし、手助けしたいと思っている）
第三因子「なんとかなる！」因子（前向きと楽観の因子）
・楽観性（私はものごとが思いどおりにいくと思う）
・気持ちの切り替え（私は学校や仕事での失敗や不安な感情をあまり引きずらない）
・積極的な他者関係（私は他者との近しい関係を維持することができる）
・自己受容（自分は人生で多くのことを達成してきた）
第四因子「あたらしく！」因子（独立とマイペースの因子）
・社会的比較志向のなさ（私は自分のすることと他者がすることをあまり比較しない）
・制約の知覚のなさ（私は何ができて何ができないかは外部の制約のせいではない）
・自己概念の明確傾向（自分自身についての信念はあまり変化しない）
・最大効果の追求（テレビを見るときはあまり頻繁にチャンネルを切り替えない）

そして「色々な幸せのパターンがあるというよりも、四つを全部満たしていると幸せ、どれかを満たしていないと幸せ度が下がり、全部を満たしていないと一番不幸」と結論づけている（前野隆司『幸せのメカニズム』）。

日本人の幸福感は低い

幸福とは何か、という学術研究だけでなく、国民の幸福感に関する実態調査も増えている。

国連やＯＥＣＤなど多くの国際機関や各国政府が幸福度指標を作成し、ＧＤＰのような経済指標では表せない「幸福度」や「生活の満足度」を描き出そうと試みている。

最も代表的な国連「世界幸福度ランキング」は、「一人当たりＧＤＰ」、「社会的支援（Social Support）」、「健康寿命」、「人生選択の自由（Freedome to Make Life Choices）」、「寛容さ（Generosity）」、「汚職の少なさ（Perception of Corruption）」、「残余（Distopia（1.97）＋Residual）」の七項目で順位づけしている。なお、社会的支援とは頼れる相手がいるかどうかを意味する。

最新の２０２０年ランキングで、首位は三年連続でフィンランドで、日本は62位であった。２０１９年調査の58位から四ランク後退で、このところ年々順位が下がっている。

Ｇ７諸国では、カナダ11位、英国13位、ドイツ17位、アメリカ18位、フランス24位、

図表11　幸福度ランキング上位国

順位	国	評点
1	フィンランド	7,809
2	デンマーク	7,646
3	スイス	7,560
4	アイスランド	7,504
5	ノルウェー	7,488
6	オランダ	7,449
7	スウェーデン	7,353
8	ニュージーランド	7,300
9	オーストリア	7,294
10	ルクセンブルク	7,238
11	カナダ	7,232
12	オーストラリア	7,223
13	イギリス	7,165
14	イスラエル	7,129
15	コスタリカ	7,121
62	日本	5,871

出典：国連「世界幸福度ランキング2020」。

イタリア30位であった。

アジア諸国は全体に順位が低く、台湾25位、サウジアラビア27位、シンガポール31位、フィリピン52位、タイ54位、韓国61位が日本より上位、香港78位、中国94位が日本より下位だった（**図表11**）。

日本の評価が低い理由として顕著な項目が「寛容さ」である。「寛容さ」は一カ月以内に寄付をしたかが設問になっており、寄付の文化がない日本は低い評価になっている。また、人生評価において楽しいか、辛いかという主観質問への回答である「主観満足度」も低くなっており、日本人は主観レベルの幸福感が非常に低いようだ。

幸福の形は一つか

前野隆司教授は、四つの因子すべてを満たしているのが幸せな状態としている。国連などの幸福度指標も、評価項目は異なるが、考え方は同じだ。

といっても、前野教授の研究や国連などの幸福度指標が特別に目新しい考え方というわけではない。レフ・トルストイは、『アンナ・カレーニナ』の冒頭で「幸福な家庭はすべてよく似たものであるが、不幸な家庭は皆それぞれに不幸である」と書いている。

しかし、こうした研究・調査を見て、おそらく多くの人が次のような疑問を持つのではないだろうか。

「評価項目の点数が低くても幸せという人もいるのではないか？」

「すべての項目の点数が高くなくても、自分が大切に思っている評価項目さえ高ければ、十分に幸せではないか？」

前野教授の研究や国連の世界幸福度ランキングは、学校ですべての科目で高得点を取ることを目指す「優等生」としよう。

一方、どれか特定の項目だけ評価が高いことを重んじる人を「一点豪華主義」としよう。「豪華」という言葉を使っているが、好きなロックを演奏しているだけで幸せというミュージシャンも、アダム・スミスの「平穏無事であれば良い」という主張も、「一点豪華主義」である。

「優等生」と「一点豪華主義」では、どちらが正しいだろうか。

これは、どちらが正しいかというより、誰が幸福について考えるかによるだろう。

たとえば、寄付の文化がない日本において、政府が寄付金税制を改正して寄付を増やしたら、どうなるだろう。貧しい人に寄付をして、受け取った相手から感謝されたら、多くの人は嬉しく思う。前野教授の第二因子が満たされ、国民の幸福が増し、国連のランキングも上がる。

政府は、国民の「最大多数の最大幸福」（ジェレミ・ベンサムの言葉）を目指すので、より幸福に感じる人を増やし、結果的に国家全体として「優等生」になるように努めるのは正しい。

自分自身の評価には一点豪華主義が適切

しかし、この「優等生」の論理は、一人ひとりの個人には必ずしも当てはまらない。個人には、好き嫌いや主義信条がある。ある評価項目は自分の心に深く刺さっても、他の項目にはまったく無関心ということが多い。

たとえば、「人は努力して生きていくべきであり、貧しい人への施しは、その人の自活への道を閉ざしてしまう」という信条の持ち主は、何かの間違いで寄付をして貧しい人から感謝されても、まったく嬉しくないだろう。寄付という行為は、国民全体の幸福感を高めるが、彼の幸福感を高めない。

コストの問題もある。幸福の評点を高めるには、気持ちの持ちようだけでは済まず、コストがかかることが多い。寄付には金がかかる。学習・成長するには学習教材を買い、授業料を払う。遠い郷里に住む幼馴染と近しい関係を維持するには旅費がかかる。

人は好きなこと、自分の信じることなら、苦労し、お金を払ってでもやる。しかし、嫌いなこと、主義信条に反することは、お金をもらってもやりたくない。やっても幸福感は高まらない。

前野教授の四つの因子すべてに納得し、バランスよく高めようという「優等生」の個人も、あるいはいるかもしれない。しかし、圧倒的に多いのは、自分の好きなこと、主義信条に合う特定の因子を重視し、それ以外の因子については「まったく無関心」という「尖った一点豪華主義」か、「無理のない範囲で対応しよう」という「マイルドな一点豪華主義」ではないだろうか。

以上から、各国政府や国際機関は、国民・人類の幸福感の総量を増やすために「優等生」型でバランス良く幸福を認識し、対応する。

一方、個人は、自分の好きなことや主義信条に合うかどうか、という「一点豪華主義」で幸福を認識すると良い。以下のような手順で、幸福について考え、対応すると良いだろう。

①色々な幸福論の書物を読み、幸福の因子を知る。自分の心に刺さる学説があったら深く調べてみる。
②自分の生活や仕事を振り返り、どの幸福の因子が自分にとって重要なのか確認する。
③「マイ幸福因子」がどこまで満たされているのか認識する。

④「マイ幸福因子」の充足度を高めるための方策を考え、行動する。
（なお、この後に検討するモチベーションについても、個人レベルの認識は、「幸福」を「モチベーション」に置き換えて同じ手順で行う）

テレワークとモチベーション

感情の認識というとき、企業経営や働く人にとって重要なのが、**モチベーション**（Motivation）である。人はモチベーションが高いときには信じられない力を発揮するが、モチベーションが低いときは能力が高い人でも成果を上げることができない。

ここからは、職場を管理するマネジャーの立場から、部下のモチベーションの現状認識と対応について検討しよう。

コロナ対応で2020年2月下旬以降、多くの企業がテレワーク・在宅勤務（ここからは「テレワーク」とする）を本格的に取り入れた。

コロナ前の日本企業では、毎朝一時間かけて都心のオフィスに通勤し、机を並べて夕方まで働くという光景が普通に見られた。頻繁に会議を開いてメンバーで合意形成し、チームワークで仕事を進め、終業後もメンバーと濃密なコミュニケーションを取るというのが、日本の働き方の特徴であった。

ところが、コロナ対策でのテレワークでは、自宅や近所のカフェなどで一人で働く。個人単位で業務に取り組むことが増え、会議・報告・決裁などはオンラインで済ませる。ZOOM呑みという新しいコミュニケーションも広がった。

働く環境や働き方が突如ガラッと変わり、働く人は大いに戸惑った。この激変を受けてマスメディアでは、「生産性を維持できているのか?」、「モチベーションを保てているのか?」といった疑問がささやかれた。

リクルートマネジメントソリューションズが4月27日に公表した調査結果は、こうした疑問に一石を投じた。

> リクルートマネジメントソリューションズが2020年3月26日から28日にかけて行った「テレワーク緊急実態調査」によると、経験者の半数以上がテレワークを前向きに評価していることがわかった。
> 「生産性が向上し、業績にプラスの効果がある」と管理職の59・3%、一般社員の61・6%が回答、さらに「仕事へのやる気が高まる」と回答した管理職は51・8%、

一般社員は53・6％に上った。

一方、「できればテレワークはしたくないと思う」と回答した人も、管理職で52・6％、一般社員で48・2％と相当数に上っており、評価が分かれている。

テレワーク環境における心理的変化については、各調査項目とも「変わらない」という回答が約5割から6割で最多だった。

ただし、「さびしさや疎外感を感じる気持ち」が「増える」、「やや増える」と回答した人は合計32・8％に上った。また「仕事のプロセスや成果が適正に評価されないのではないかという不安」が「増える」、「やや増える」と回答した人は合計29・4％に上った。

物理的に上司・同僚との接触機会が減る状況で、「孤独感」や「評価への不安」が高まっていることがわかった。

（リクルートマネジメントソリューションズのリリースから構成）

モチベーションは人それぞれ

人は慣れ親しんだ職場やそのメンバーに愛着があるし、職場運営や働き方はその時点での事業環境に合わせて合理的なものになっているはずだ。それをコロナが一変させてしまったのだから、「さぞや不満たらたらだろう」と世間では何となく思われていた。

ところが、調査結果から、人々はテレワークをかなり前向きに評価していることがわかった。この調査結果を素直に解釈すると、これまでの日本の働く環境と働き方には、無駄や非合理な点が多かったということだろう。

たしかに、ネット掲示板などでは、日本の働く環境と働き方について、辛辣な意見が出ている。

「テレワークをしてみて、わが社の働き方は会議・雑談・報告・飲み会と無駄だらけだったと思い知らされた」

「(以前)会社に行くのは、仕事をしに行くというより、〝ちゃんと頑張ってます〟という忠誠心を示すことが主眼だった」

もう一つ、調査結果から読み取れるのは、モチベーションの複雑さ・多様性である。モチベーションは幸福感と同様に人の感情だから、人によって色々な感じ方があるのは当然と言えば当然かもしれない。

それにしても、テレワークという同じ状況に置かれて、半数がテレワークを「もう続けたくない」、半数が「続けたい」と考えている。６割が心理状態は「変わらない」とした一方、３割が「孤独感」、３割が「評価への不安」の増加を訴えた。まさに混とんとした状況だ。

モチベーションも幸福感と同様に、社会全体、あるいは会社全体の動向を知るだけでは不十分だ。マネジャーは、一人ひとりの部下がどういうモチベーションの状態にあるのかを認識する必要がある。

モチベーションの四つの要因

働く人のモチベーションは、どのような要因で決まってくるのだろうか。

20世紀初頭までモチベーションの研究はあまり発展せず、漠然と「たくさんニンジンをぶら下げれば従業員は頑張るだろう」と想定されていた。こうした経済合理的な人間像（経済人、ホモエコノミクス Homo Economics という）を前提にした科学的管理法が１９１０年代にアメリカで大流行した。

ところが１９２０年代になると、科学的管理法の非人間的で冷徹な管理の弊害が社会問題になり、アンチテーゼとして人間関係論が台頭した。人間関係論は、職場における従業員同士のインフォーマルな人間関係の重要性を強調する。

これ以降、モチベーションは企業経営における重要テーマになり、今日に至るまで１００年間、さまざまな研究が行われている。

今日、多くの経営学者・心理学者がモチベーション論を展開しており、優に１００以上の有力なモチベーションの理論があると言われる。それを逐一紹介することはできないが、総合すると、モチベーションを左右する四つの要因がある。

・環境：オフィスの物理的環境、労働時間、人間関係
・仕事：やりがい、目標水準、キャリアとの適合、社会貢献
・評価：公正さ、基準の明確さ
・報酬：賃金の水準と安定性、賞賛など非金銭的報酬

モラールサーベイと対話

職場を管理するマネジャーは、部下のモチベーションをどう現状認識すれば良いだろうか。

経験豊富で有能なマネジャーほど、自身の成功体験から「人は仕事で磨かれる。やりがいのある仕事が大切だ」、「人は評価で動くものだ」などと、モチベーションについて確固たる持論を形成していることが多い。そして、持論に基づいて「あいつはデキル」、「評価ばかり気にしていないで、仕事の質を上げることに専念しろ」などと、部下を評価し、指導する。

ただ、現状認識と部下への対応で、マネジャーは持論を控える必要がある。それぞれの部下が「環境」、「仕事」、「評価」、「報酬」のどれにモチベーションを感じているのかわからないからだ。

とくに近年、職場に女性・非正規労働者・外国人が増えて、昔のように仕事人間一色でなくなっていることには、注意が必要だ。マネジャーは、持論を脇に置いて、ゼロベースで部下のモチベーションを現状認識しなければならない。

部下のモチベーションの状態を客観的に数値化して認識するには、**モラールサーベイ**（Moralsurvey：従業員意識調査）が有効だ。

一般社団法人日本労務研究会が考案した従業員300人以上の大企業を対象としたNRK式モラールサーベイでは、「労働条件」、「人間関係」、「管理」、「行動」、「自我」という五つの要因を調査する。中小企業を対象にした厚生労働省方式では、「仕事」、「給料」、「上司」などを調査する。

自社内で費用を掛けずにモラールサーベイを実施することも可能だが、外部のコンサルティング会社などに委託して定期的に実施すると、他社比較や趨勢分析をすることができて、改善に向けた有益なヒントを得られる。

ただ、マネジャーは、モラールサーベイで満足してはならない。モラールサーベイでわかるのは、モチベーションがどういう状態にあるかという〝結果〟が中心で、その〝原因〟までは詳しくわからないからだ。モラールサーベイの自由記入欄にはなかなか記述してもらえないし、そもそも無記名方式（が大半）なので個別の事情まではわからない。

そこで、マネジャーは、部下との対話を通して、原因の認識に努める。一対一で対話することによって、「ちょっと職場の人間関係でトラブルがありまして」、「今後のキャリアについて悩んでいます」といった部下の本音を引き出すことができる。

withコロナのモチベーション・マネジメント

withコロナでマネジャーが部下のモチベーションを管理するポイントを確認しておこう。

まずは、個々の部下のモチベーションを現状認識するために、対話の機会を確保することが、喫緊の課題になる。テレワークで部下と顔を合わせる機会が減り、たまに職場で顔を合わせる貴重な時間には、「無駄なく、業務に必要なことだけを話そう」となりがちだ。しかし、それでは部下からモチベーションに関する本音を引き出すことはできない。時間的な余裕を持って対話する機会を作りたい。

対話の場では、双方向型のコミュニケーションを心掛ける必要がある。対話といっても、上司と部下の関係では、マネジャーが持論を振りかざし、指示・アドバイスを与え、部下は黙って聞くだけ、という状況になりがちだ。マネジャーは、部下に質問し、聞くことに徹し、最後に一言、指示・アドバイスするくらいでちょうど良いだろう。

モチベーションアップのための対応では、先出のリクルートマネジメントソリューションズの調査のとおり、「孤独感」と「評価への不安」がポイントになる。

部下の「孤独感」を解消するには、やはりコミュニケーション量を増やすことが大切だ。リアルに会って対話・ミーティングする場をつくると良いが、ZOOMなどオンラインのチャネルも活用する。

量だけでなく、コミュニケーションの質・中身にも留意したい。オンラインで業務報告を増やしても、部下は「監視されている」と感じるだけで、モチベーションという点では逆効果だ。業務報告などフォーマルなコミュニケーションをできるだけ効率化・簡素化し、雑談・懇親などインフォーマルなコミュニケーションを増やすと良いだろう。

なお、ZOOMの会議で発言者以外は「ミュート（無音状態）」にするようルール化している会社が多いようだが、こうすると一気にフォーマル感が高まり、参加者は受け身の姿勢になってしまう。オンラインでいかにインフォーマルな場を演出するかは、今後の課題である。

「評価への不安」を解消するには、テレワークに合致した評価制度を構築する必要がある。日本企業の評価制度では、仕事の成果よりも、どれだけ熱意を持って仕事に取り組んだかという情意評価が大きな比重を占めている。これは、マネジャーが部下の行動を日常的に確認できるという前提に立っており、テレワークとは非常に相性が悪い。経営者・人事部門は、成果を中心に評価するよう、早急に評価制度を見直す必要がある。
なお、これと関連して、マネジャーは、部下への仕事の与え方を見直したい。職務記述書に従って個人に明確に業務を割り当てるアメリカ企業と違って、日本では、部下に「適当に片づけておいてよ」と曖昧な指示をすることが多い。この日本独特の曖昧な働き方は、個人単位の業務が中心となるテレワークとは相性が悪い。マネジャーは、仕事の内容・期待する成果・役割分担・スケジュールなどを明確に指示すると良い。

現状認識のための手引き

第６章のポイント

・危機では、平穏無事な生活が幸せという幸福論が人気を集めやすいが、危機後も平穏無事な生活で満足できるかは不透明だ。
・幸福感についての関心が高まり、研究・調査が増えている。幸福感に影響する因子を高めることが、国民全体の幸福感向上につながる。

・ただ、個人レベルでは、自分が重視する因子が満たされているかどうかが重要だ。
・モチベーションは「環境」、「仕事」、「評価」、「報酬」という要因によって決まる。マネジャーは、モラールサーベイや対話で部下のモチベーションを把握する。
・マネジャーは、コミュニケーションを増やして、部下の孤独感を和らげる。また、個人単位の業務に対応した評価制度を構築する。

第7章　現状認識の総合科学

コロナショックでの現状認識と対応では、縦割り行政や高度に専門分化した現代の学問・研究の弱点が露呈した。本書の最後に、現状認識の総合科学を構築する可能性と行政・研究者・ビジネスパーソンにとっての課題について検討する。

縦割り行政の弊害

今回、コロナという未曽有の危機に当たって、個々の対策とともに、どのような体制で対策を進めるかが問題になった。

2019年11月に中国で最初の感染者が確認され、厚生労働省は警戒態勢を敷いた。国内での感染が始まったことを受けて、2020年2月14日、専門家会議を設置した（2月17日に初会合）。

専門家会議は、医学的な見地から、政府に適切な助言を行うことを目的としている。座長には国立感染症研究所所長の脇田隆字が、副座長には地域医療機能推進機構理事長の尾身茂が就任した。尾身を含むメンバー12名には、感染症など医学・医療の専門家が名を連ねた。

そして、政府は、コロナ対策をより強力に推進するため、3月6日コロナ担当大臣を設置した。大臣には西村康稔が就任した。西村は、経済再生担当大臣、また経済財政政策の内閣府特命担当大臣である。

さらに、緊急事態宣言の発令や解除の是非を判断するため、専門家会議のメンバーに医療や法律の専門家を加えた基本的対処方針等諮問委員会を発足した（3月27日に初会合）。

こうして、政府は、専門家会議から医学的な助言を受け、経済的な観点などを踏まえて対策を総合的に判断するという仕組みを整えた。

ただ、政策の意思決定を巡っては、さまざまな混乱が見られた。安倍首相が2月27日に全国一斉休校を突然打ち出した際には、専門家会議のメンバーから「専門家会議で話し合われたことではない」というコメントが出た。

4月の緊急事態宣言でも、副座長の尾身茂が政府と専門家会議の間で意見の隔たりがあることを記者会見で明かした。

また、専門家会議や諮問会議が医学・医療関係者を中心に構成されており、経済への影響を考慮していないという批判が当初からあった。この批判を受け5月12日、諮問委員会に慶應義塾大学・竹森俊平教授ら経済の専門家四人をメンバーに加えた。

（各紙報道から構成）

当初、コロナは感染症という医学・医療の問題であったため、医学・医療を所管する厚生労働省が対策を全面的に取り仕切った。

2月以降、国内に感染が拡大し、医療だけでなく、経済・地域社会・雇用・交通・学校教育などにも影響が広がった。そのため、省庁で言うと厚生労働省にとどまらず、財務省・経済産業省・国土交通省・文部科学省など多くの省庁・関係機関が対策に関わるようになった。こうした事態の変化・被害拡大を受け、政府は3月6日にコロナ担当大臣を任命し、広範な問題に総合的に対応する体制を整えた。

しかし、5月上旬まで専門家会議やクラスター対策班がもっぱら医学的見地から感染対策を主導し、他の省庁・関係機関は、「接触8割減」などの感染対策に伴って生じる悪影響に対応するという、受け身の対応を迫られた。

また、全国一斉休校や緊急事態宣言をはじめ、官邸と専門家会議、専門家会議と他の専門家や全国の医療機関とのコミュニケーションの混乱が次々と明るみになった。

このようにコロナ対策の半年間の経緯を振り返ると、政府の体制が十分に機能し、一体となってコロナ対策を進めることができたとは言い難い。従来から指摘されてきた縦割り行政の弱点が改めて露呈したと言えよう。

もちろん、コロナは未知のウイルスで、過去の感染症にはない大きな広がりであったことから、完璧な対策を望むのは酷だ。２０２０年6月時点で、政府の対策の良し悪しを評価するのは早計である。

ただ、今後も頻繁に起こりうる「１００年に一度の危機」に備えて、今回の対策を振り返り、縦割り行政の改革を進める必要はあるだろう。

研究者・専門家の貢献も問われている

行政だけが問題とは限らない。最終的に政策を決定するのは行政（国・自治体）だが、その前に研究者・専門家による調査・研究や提言がある。今回、研究者・専門家は、適切かつタイムリーな調査・研究を行い、提言し、コロナ対策に貢献することができただろうか。

コロナは、当初は感染症という医学の問題だった。しかし、２０２０年2月下旬以降、影響が広範囲に及び、さまざまな問題が発生し、幅広い学問分野の知見を取り入れることが必要になった。

✓一斉休校や9月入学移行について、教育学者や社会学者は適切な選択肢とそのメリット・デメリットを示せたか？
✓景気後退や雇用悪化に対して、経済学者は有効な対策を提言できたか？
✓コロナ対策に伴う財政支出と国債発行について、経済学者や財政学者は規模や方法が適切かどうか見解を示せたか？
✓企業の売上減少・倒産について、経営学者は有効な対策を提言できたか？
✓自粛生活に伴う不安・ストレス・自粛警察・デマについて、心理学者や社会学者は有効な対策を提言できたか？

医学だけでなく、各分野の研究者・専門家がコロナ対策に十分に貢献できたかどうか、今後、検証をする必要があるだろう。

総合化は不十分だった

検証はこれから行われることになるが、やはり行政と同じく、学問・研究の世界でも縦割りの弊害があったのではないだろうか。

学問・研究には、専門化と総合化という正反対の二つの動きがある。**専門化**は特定の専門分野について深く掘り下げる動き、**総合化**は研究成果を他の専門分野と融合させる動きである。

研究者・専門家の活動の基本となるのは、専門化である。一般に学術的な発見は、専門化によって得られるからだ（複数の研究の結果を統合し、より高い見地から分析するメタアナリシスという研究方法もあるが）。とくに、専門分野を細分化（専門分化）するほど、新発見の可能性が高くなる。

学問・研究が専門分化すると、やがて社会との繋がりを断つ状態、いわゆるタコツボになり、周りからは何を研究しているのか見えなくなる。すると、反省の機運から異分野と相互に連携し、社会との繋がりを取り戻そうという総合化の動きが出てくる。

日本では、１９６０年代末から１９７０年代にかけて、総合化が研究・教育上のキーワードとして頻繁に使用された。その後も専門化を基本としながら、１９８０年代に「学際化」、１９９０年代以降に「融合化」、「複合化」、「統合化」といった類似のキーワードが折に触れて提起され、今日に至っている。

今回のコロナで、医学者は、未知のウイルスの正体を解明し、ワクチン・治療法を開発することに努めている。また、医学者以外の研究者・専門家は、自身の専門分野に関する分析を発信している。専門化の動きは活発だ。

しかし、さまざまな学問分野を総合化する動きは、まったく不十分だった。

たとえば、大きな問題になったのが、理論疫学の専門家である北海道大学・西浦博教授が提起した〝接触8割減〟。この対策は、国民の生活や経済活動を厳しく制限することから、医療以外の多方面に大きな影響を及ぶことが誰にでも容易に想像できた。本来なら、少なくとも経済・経営の専門家とすり合わせをするべきであったが、そういう総合化の動きはなかった。

日本は、コロナ感染による死者は少なかったが、その代償として、ＧＤＰや賃金の落ち込み・失業率の上昇など、とりわけ経済面では大きな被害を被った。その選択が結果的に正しかったのか、間違っていたのかはともかく、総合化の動きがなかったことは、今後大いに反省するべきだろう。

現状認識の総合科学に向けて

コロナでは、高度に専門分化した現代の学問・研究の弱点が露呈した。第６章までで検討した現状認識では、論理学・統計学・経済学・管理会計・ファイナンス・心理学などさまざまな学問分野の理論・技法を駆使したが、一つ一つの理論・技法は他分野の専門家にとっても初歩的なものなのに、それを総合化しようという動きは限られた。

コロナだけでなく、近年、さまざまな学問分野にまたがる総合的な現状認識を必要とする複雑な問題が増えている。

グローバル化の影響は、経済学者だけで分析できるものではない。

デジタルトランスフォーメーション（ＤＸ）は、ＩＴの専門家だけで進めても効果は上がらない。

高齢化に対応するには、医療・年金・福祉・資産運用など、さまざまな分野の専門家の協力が必要だ。

第６章で述べた幸福は、経済学・心理学・社会学など、さまざまな知見が必要だ。

また危機対応ということで言うと、首都直下型地震という「千年に一度の危機」への対応は、喫緊の課題だ。いつどの程度の地震が起こるかという地震そのものの予測は、地震予知の専門家の領域だが、地震の影響や対策を考えようとすると、「私はまったく無関係です」という社会科学の専門家を探す方が難しいだろう。

学問・研究では、総合化の動きを進め、**総合科学**（Synthetic Science）にまで高める必要がある。

総合科学を確立するためにはどうすれば良いだろうか。以下の三つのポイントがある。

①領空侵犯
②場づくり
③リーダー養成

それぞれ確認しよう。

領空侵犯

まず、総合化を否定する風潮やマインド、心の持ちようを抜本的に改めることから始めたい。

日本では「餅は餅屋」という言葉があるように、「その道の専門家に任せておこう」、「他人のことに口をはさむのは、はしたない」という根強い風潮・マインドがある。役所・企業・大学・研究機関などはもともと組織体制が専門分化しているところにこの風潮・マインドが加わり、縦割りをより強固なものにしている。

「餅は餅屋」の風潮・マインドを変えるにはどうすればよいだろうか。なかなか容易なことではないが、世論に影響を持つ、政府の広報やマスメディアの報道の役割が期待される。

かつて、日本経済新聞の月曜日朝刊に「インタビュー領空侵犯」というコーナーがあった。専門家・経営者・著名人が、自分の専門以外の問題について提言するというインタビュー記事だった。たとえば２０１１年6月20日の記事では、第一生命保険の森田富治郎会長（当時）が登場し、学校教育を取り上げ、「小・中学校で大人数学級を復活するべきだ」と提言している。

門外漢の領空侵犯を見て、「素人は黙ってろ」と考えるようでいけない。素人や他分野の専門家が自由に自分の意見を述べたり、専門家の意見や常識に疑問を呈するところから、さまざまな利害・認識の違いが明らかになり、総合化の動きが始まる。

その点、テレビ・ラジオの報道番組で、お笑い芸人やタレントがコメントをするというのも、じつは意義が大きいことだ。

マスメディアには、門外漢からの領空侵犯や素人の視点を取り上げるとともに、その意義を伝えることも期待したい。

場づくり

次に、場づくりである。

研究者・専門家や国民のマインドが変わって、自由闊達に意見交換が行われるようになったとしても、それだけでは総合化による具体的な成果は生まれない。

さまざまな人が自由闊達に意見交換する場というと、何と言ってもFacebookに代表されるＳＮＳ。ただ、ＳＮＳで世論が盛り上がることは多いが、世界で何兆人もの人が日常的にＳＮＳを使っているのに、そこで総合化が進展し、大きな成果が生まれたという事例はあまり耳にしない。自由闊達な意見交換と具体的な成果には、大きな断絶があるということだろう。

この断絶を埋めるカギになるのが、「場」である。近年のイノベーション研究では、イノベーションを創造する舞台である場の役割が重視されている。

場には色々なタイプがある。

学際的な研究の場というと、最も代表的・一般的なのは大学や研究機関の共同研究プロジェクトである。高度な専門性を持った研究者が予算の裏づけを持ち、業務として取り組む共同研究プロジェクトは、最も効果的な場だとされる。

日本では、大学・研究機関でさまざまな共同研究プロジェクトが行われているが、近年、多くの分野で国の研究予算が減額されており、学際研究の停滞が指摘されている。「お金が第一ではない」というものの、研究予算の増額は重要な課題だ。

ただ、研究者による共同研究プロジェクトには、予算を確保して計画的に進められるため、成果を実現するうえで大切な自由な探求心、闊達な意見交換を抑え込んでしまう危険性がある。共同研究プロジェクトが総合化を進める学際研究の中心であることは昔も今も将来も変わらないだろうが、もっとインフォーマルで緩やかな場が期待される。

そこで、注目を集めるのが、組織外の不特定の専門家との協業によってイノベーションを起こす**オープンイノベーション**である。とりわけ、ウェブベースだと、世界中から幅広く専門家の参加を募ることができる。

ドン・タプスコット＝アンソニー・D・ウィリアムズ『ウィキノミクス』は、オープンイノベーションの成功事例を多数紹介している。なかでも冒頭の、カナダの金鉱山会社・ゴールドコープの事例は興味深い。

ゴールドコープ社は、自社の最高機密である地質情報をウェブで世界中に公開し、探鉱方法などのアイデアを懸賞金付きで募った。世界15カ国、1000人以上の地質学者、人工知能研究者、CG専門家、コンサルタントなどが同社のデータと格闘し、鉱脈について優れたアイデアを提供した。その成果で鉱脈を探し当てたゴールドコープ社は、超優良企業へと飛躍した。

ただ、ウェブベースのオープンイノベーションは、まだまだ話題先行で、画期的な成功例はさほど多くはない。今後、有効な活用方法が確立され、普及していくことを期待しよう。

リーダー養成

三つ目に、場づくりとともに大切なのが、リーダー養成だ。

先ほど、インフォーマルで緩やかな場の方が色々なアイデアが生まれやすいと説明したが、場がインフォーマルで緩やかになるほど、アイデアを取りまとめて成果に結びつけるのが難しくなる。リーダーシップのある人材が主体的に活動しないと、総合化による成果はなかなか生まれない。

日本では、チームワークで仕事を進めるとき「全員参加」という美名のもと、リーダーの役割を明確にしないことが多い。組織の内部で慣れ親しんだ業務をするならそれでも構わないが、たいていの研究者にとって不慣れな総合化、しかも組織外の人間と共同で取り組むとなると、曖昧な働き方ではなかなかうまくいかない。リーダーには、緩やかな関係でアイデアを引き出しながら、それを成果に結びつけるという微妙なマネジメントが求められる。

リーダーが総合化を進めるうえで、以下のような役割を果たす必要がある。

・ビジョン設定：ビジョン（到達したい状態）を示し、活動を方向づける
・ネットワークつくり：他分野の専門家を発掘し、関係を構築し、維持する
・目利き：他分野のことを理解し、アイデア・情報の価値を評価する
・モチベーション：総合化の作業に後ろ向きな研究者を動機づける
・コンフリクトの解消：利害・関心などの違いによるコンフリクト（Conflict：摩擦・軋轢）を解消する

専門化を基本とする日常業務をこなすだけでは、研究者・専門家がこうした役割を果たすのに必要なスキル・能力を身に付けることはできない。大学・研究機関は、リーダーとして期待する研究者・専門家を選んで、計画的にリーダー養成を進める必要がある。

日本でも、2000年以降、MBA（経営学修士）・MOT（技術経営）大学院など社会人大学院が次々と設立され、リーダー養成に向けた体制がかなり整備された。次の段階としては、そこで育ったリーダーが総合化を実践し、育成プログラム・育成手法などにフィードバックし、リーダー養成がさらにレベルアップすることを期待したい。

ビジネスリーダーと交換記憶

最後に、ビジネスパーソンが総合科学を学ぶことの意義を確認しておこう。

この章では、政治家や研究者・専門家を念頭に総合化の必要性やポイントを紹介したが、同じことがビジネスパーソンにも当てはまる。第６章までに紹介した現状認識のさまざまな理論・技法を知り、総合化のなかで活用することは、とりわけ経営者・マネジャーといったビジネスリーダーにとって大切なことだ（リーダーは社長・事業責任者だけでなく、「人の上に立つ人」という程度に考えていただきたい）。

ビジネスリーダーが仕事で成果を実現するには、どうすれば良いだろうか。先ほど少し触れたリーダーの役割を、ビジネスを想定して少し掘り下げてみよう。

どんなに有能なビジネスリーダーであっても、自分一人でできることには限りがある。大きな仕事、複雑な仕事を進めるには、色々な専門性を持った人材を幅広く集め、コーディネートし、知恵を出し合って活動する必要がある。

たとえば、衣料品メーカーが海外に委託生産拠点を新設する場合、法律・税務・資金調達・労務管理・資材調達・貿易といった専門知識を持つ人材が必要になる。

ビジネスリーダーは、社内のどの部署、社外のどの会社に、どういうノウハウを持った人材がいるのかを知らなければならない。アメリカの心理学者ダニエル・ウェグナー教授はこうした「誰が何を知っているか（to know who knows what）」という知識のことを**交換記憶**（Transactive Memory）と呼んだ。

ビジネスリーダーとして活躍するには、交換記憶を増やすよう努めなければならない。経営者と言うと、分刻みのスケジュールをこなしていると想像しがちだが、アメリカの経営学者ジョン・コッター教授の研究によると、まったく逆だ。業績の良い企業の経営者は、社内外の色々な人と会って他愛もない雑談をして関係づくりをすることに執務時間の半分以上を費やしているという。

総合化はビジネスリーダーの必須スキル

ただ、交換記憶だけでは成果を実現することはできない。ビジネスリーダーに他分野に関する知識・情報がないと、他分野から専門性を持った人材を集めるとき、適切な人材なのかどうか判断することができない。集めた後も、その人の仕事ぶりを正しく評価することができない。他分野について「何を知っているか（to know what）」も問われる。

衣料品メーカーの場合、たとえば、ビジネスリーダーに基本的な労務管理の知識がないと、労務管理を担当する候補者にインタビューしても、彼が適切な人材なのかどうか判断できない。新設した現地の工場でストが起こり、彼が沈静化させたとしても、労務管理の知識や現地の労働市場・法律・慣習などに関する情報がないと、彼の対応が適切だったのか、たまたま運が良かっただけなのか、評価できない。

と言っても、この他分野に関する知識・情報は、最先端の高度な理論やこと細かな情報ではない。基本と本質を押さえて、他分野の専門家から説明を聞いて、正しいのか間違っているのか「何となくわかる」、「大間違いしない」程度で良い。そして、こうした他分野の知識・情報を獲得し、活用するうえで、第1章から第6章で紹介した理論・技法は強力な武器になるに違いない。

ビジネスリーダーは、交換記憶と他部門の知識・情報の両方を蓄積し、活用することで、総合化を進め、大きな仕事を成し遂げることができるのだ。

現状認識のための手引き

第7章のポイント

・コロナの政策対応では、縦割り行政の弊害が見られた。
・学問・研究には、専門化と総合化の動きがある。専門化が基本になるが、複雑な問題に対応するには、総合化が重要になる。
・学問・研究で総合化の成果を実現するには、①領空侵犯、②場づくり、③リーダー養成が必要になる。
・ビジネスリーダーは、交換記憶と専門外の知識を活用することで、大きな仕事の成果を実現できる。

おわりに

「君の仕事は不要不急」と言われたら

コロナでは、3月以降「不要不急」という言葉がたびたび使われた。感染リスクを抑えるために「不要不急の外出を控えよう」というのは当然のことだ。

しかし、職場で上司から「君のその仕事は不要不急だからやめるように」と指示されたら、どうだろうか。

仕事は、必要か不要か、火急か不急かで、次の三つに分かれる。

①必要火急
②必要不急

③不要不急
（不要なことを急がないので「不要火急」は考えない）

上司の指示が「②必要不急なことは延期して、①必要火急なことだけまずやろう」ということなら、文字どおり「君がやっている仕事そのものが不要」ということなら、言われた方は内心、穏やかではない。

読者の皆さんの①②③の割合はどうだろうか。自分なりに確認して欲しい。そして、もし①が少なく、③が多いようなら、次のような論点について考えると良いだろう。

・会社・顧客・社会などにとって必要な仕事、火急な仕事とは何なのか
・自分は必要火急の仕事をどれだけしているか、どうすれば増やせるのか
・自分は不要不急の仕事をしていないか、どうすれば減らせるか

コンサルタントの価値とは

コンサルタントをしている私の場合、3月から5月まで①：②：③は2：7：1だった。すでに実施が決まっていた案件の大半について、クライアントから「コロナが落ちつくまで延期しましょう」（②必要不急）と言われた。キャンセル（③不要不急）が少なかったのは幸いだったが、「何としてでも今やりましょう」（①必要火急）と言われることも少なかった。

コロナ前まで私は「俺の仕事はクライアントにとってすべて必要火急だ！」と自惚れていたのだが、すっかり鼻をへし折られた。そして私は、コンサルタントという仕事の価値について、改めて考えた。

コンサルタントは、クライアントの問題解決を支援する外部専門家である。クライアントが抱える未解決の問題に対して解決に向けたアドバイスするのだが、ここに不思議なことがある。

クライアントはその業界でずっと事業を展開し、経営者は市場や顧客のこと、そして自社のことを熟知している。その経営者が長く悩み、格闘し、まだ解決できていない問題に対し、パッと現れたコンサルタントがアドバイスをして、いったいどういう価値があるのだろうか。

　コンサルタントには、大きく二つの価値がある。

　一つは、特定の経営機能に関する専門知識を提供することだ。ＩＴコンサルタントがクライアントの情報システム構築にアドバイスをするといった具合だ。この場合コンサルタントは、ＩＴ・法務・財務・調達といった自分の専門分野に限っては、クライアントよりもたくさんの知識・情報を持っている。

　もう一つは、問題解決プロセスを支援することだ。いわゆるプロセス・コンサルテーションである。コンサルタントはクライアントに対し、経営の状態を認識してもらう、重要な問題やその原因に気付いてもらう、解決策を探してもらう、意欲を持って解決策に取り組んでもらう、という働きかけをする。この場合、コンサルタントはクライアントよりも知識・情報が少なく、答えはクライアントのなかにある。

コンサルタントの現状認識スキル

二つ目のプロセス・コンサルテーションに対しては、「金を払ってわざわざコンサルタントを呼ばなくても、経営者が自分でやればいいじゃないか」という批判がある。まったくそのとおりだ。経営者が自分で問題解決できるなら、それに越したことはない。

ただし、多くの経営者は、問題解決プロセスをなかなかうまく進めることができない。知識・情報があっても、問題解決の技法を知っていても、それらをどういう場面でどう使うかについては、教育訓練を受けたことがないからだ。

とくに経営者（などビジネスパーソン）がよくつまづくのが、本書で取り上げた現状認識だ。

経営者は業界・市場・自社（Competitor・Customer・Company：３Ｃという）に関する知識・情報、そして事業の経験を豊富に持っている。しかし、それゆえに、業界の常識に囚われたり、経験から「昔はこうやっていた」という思い込みをしたり、視野が狭くなっていたりする。とりわけ、複雑な問題が増えている昨今、特定の業界に特化した狭い視野が邪魔をして、企業の将来を左右する機会・脅威を見逃してしまうことが多い。

コンサルタントは現状認識を進めるうえで、本書で紹介した理論・技法・考え方を用いる。

・3Cの情報を収集し、客観的・科学的に分析する（第1章）
・趨勢分析や他社比較で経営状態と問題点を明確にする（第2章）
・問題の原因を究明し、解決策を探る（第3章）
・リスク要因を見極める（第4章）
・認知バイアスに注意して現状認識を進める（第5章）
・従業員など関係者の感情を理解する（第6章）
・色々な情報を総合化し、成果を実現する（第7章）

このように、（プロセス）コンサルタントの価値は、クライアントに知識・情報を提供することではなく、知識・情報をどう分析し、評価するか、という使い方のアドバイスをすることなのだ。

コンサルタントの社会貢献とは？

私は、2020年3月以降、予定していた仕事が次々と延期になり、自分の仕事の価値を見つめ直した。また、コンサルタントはどのように社会貢献できるか、するべきかを考えた（自分のクライアントの発展に貢献するのが第一だが、それに加えて）。

私の周りのコンサルタントの多くが、政府や関係機関が導入した公的支援（緊急融資・持続化給付金など）のサポート業務に従事した。しかし、それを手伝おうという気にはなれなかった。苦境に立たされた中小企業を救うのは大切だが、業務それ自体は申請書類に不備がないか確認するだけなので、コロナで職を失ったフリーターや学生に仕事を譲ってあげるべきだと思った。

4月上旬には、大阪大学・伊藤武志教授らと共同で、「新型コロナウイルスに関する緊急経済対策の修正・付加的提言」という政策提言を取りまとめ、自民党・公明党などに提言した。「審査を簡素化した現金給付と源泉徴収・課税所得申告時での課税調整」「現金支給において電子マネーを利用」という内容である。提言を取りまとめる作業は54年間生きてきたなかで、最高に充実した貴重な体験だったが、それを実際の政策に反映させるという段階はなかなか思うに任せず、無力感を覚えた。

そうこうしているうちに気になったのが、コロナ対策を巡る混乱である。国・自治体・医療関係者・企業・国民など、それぞれの立場で懸命に対策に取り組んだのだが、本書で紹介したとおり、基本的な現状認識がうまく行かず、対策は迷走を続けた。現状認識のプロであるコンサルタントの立場から書籍を世に問うことで、現状認識をレベルアップさせ、社会に大きな貢献できるのではないか…。

これが本書を出版しようと思った理由である。本書は、コロナという脅威を題材に、現状認識の進め方を解説した。ただし、適切な現状認識を行うのは、コロナに限らず私たちの仕事・暮らしなどすべての活動の基盤である。

本書によって、読者の皆さんの現状認識がレベルアップし、より良い仕事、より良い暮らしが実現するようなら幸いである。

最後に、出版事情が悪いなか、快く出版を引き受けていただいた千倉書房と編集に尽力していただいた岩澤孝氏には記して感謝申し上げたい。

2020年6月

日沖 健

参考文献

大竹文雄『行動経済学の使い方』（岩波新書、二〇一九）
カール・R・ポパー『科学的発見の論理（上）（下）』（恒星社厚生閣、一九七一・一九七二）
堺屋太一『組織の盛衰』（PHP研究所、一九九三）
堂目卓生『アダム・スミス』（中公新書、二〇〇八）
ドン・タプスコット＝アンソニー・D・ウィリアムズ『ウィキノミクス』（日経BP社、二〇〇七）
日沖健『後悔しないためのロジカルな意思決定 スマートチョイス』（産業能率大学出版部、二〇一八）
日沖健『実戦ロジカルシンキング』（産業能率大学出版部、二〇〇八）
日沖健『問題解決の技術』（産業能率大学出版部、二〇一〇）
日沖健『ビジネスリーダーが学んでいる会計＆ファイナンス』（中央経済社、二〇一五）
日沖健『変革するマネジメント〈第2版〉』（千倉書房、二〇一七）
日沖健『マネジャーのロジカルな対話術』（すばる舎、二〇一七）
平川秀幸・奈良由美子『リスクコミュニケーションの現在』（放送大学教育振興会、二〇一八）
前野隆司『幸せのメカニズム』（講談社現代新書、二〇一三）
マックス・ヴェーバー『社会科学と社会政策にかかわる認識の「客観性」』（岩波文庫、一九九八）

主要人名索引

ア行

カ行

サ行

タ行

ナ行

ハ行

マ行

ヤ行

ワ行

ナ行

ハ行

マ行

ヤ行

ラ行

主要事項索引

英数字

ア行

カ行

サ行

タ行

［著者略歴］

日沖 健（ひおき・たけし）

日沖コンサルティング事務所代表、産業能率大学講師、中小企業大学校講師
1965年生まれ。慶應義塾大学商学部卒業。アーサー・D・リトル経営大学院修了。

日本石油（現・ENEOS 株式会社）勤務を経て、2003年から現職。

経営戦略のコンサルティングと経営人材育成研修を行う。

主著に『変革するマネジメント』（千倉書房）、『ケースで学ぶ経営戦略の実践』（産業能率大学出版部）など。

現状認識の方法
——感染症時代を生き抜く科学的思考

二〇二〇年八月二五日　初版第一刷発行

著者　日沖健
発行者　千倉成示
発行所　株式会社 千倉書房
〒一〇四-〇〇三一
東京都中央区京橋二-四-一二
〇三-三二七三-三九三一（代表）
https://www.chikura.co.jp/

印刷・製本　精文堂印刷株式会社
デザイン　米谷豪

ISBN 978-4-8051-1214-4　C0034